Auteurs
Michael Benton, Michael Chinery, Fabienne Fustec, Keith Lye,
Chistopher Maynard, Nina Morgan, Steve Parker, Barbara Reseigh,
Dominique Rift, Jean-Pierre Verdet, Florence et Pierre-Olivier Wessels, Brian Williams
Traduction et adaptation de
Françoise Fauchet
Gilles Vaugeois
Patrick Pasques
Mise en pages
PIXEL IMPACT

Pour l'édition anglaise parue sous le titre *Kingfisher Child's World Encyclopedia*

Édition du Club France Loisirs, Paris,
avec l'autorisation des Editions Nathan

ISBN : 2-7242-9326-6

Achevé d'imprimer par Publiphotoffset - 93500 Pantin
Dépôt légal : Avril 1996 - N° d'éditeur : 26800

MA PREMIÈRE

ENCYCLOPÉDIE

La mer

FRANCE LOISIRS
123, boulevard de Grenelle, Paris

Sommaire

Volume 3

La mer

- Le monde marin
- Le vent et les vagues
- Le littoral
- Au large
- Un monde en mouvement
- Les richesses de la mer
- Les hommes et la mer

Volume 4

Les plantes

- La croissance des plantes
- Les formes des plantes
- La nourriture des plantes
- Les plantes décoratives
- Les plantes en voie de disparition
- Des idées

Volume 5

La science

- Qu'est-ce que la science ?
- Comment fabrique-t-on les objets ?
- À quoi sert la science ?
- Electricité et magnétisme
- Le mouvement
- La lumière et la couleur
- Les sons
- La science est partout

Volume 9

Les continents et les peuples

- Des cultures différentes
- L'Amérique
- L'Europe
- L'Afrique
- L'Asie
- L'Océanie

Volume 10

Tous les animaux

- Les mammifères
- Les oiseaux
- Les reptiles
- Les amphibiens
- Les poissons
- Les insectes
- Les autres animaux

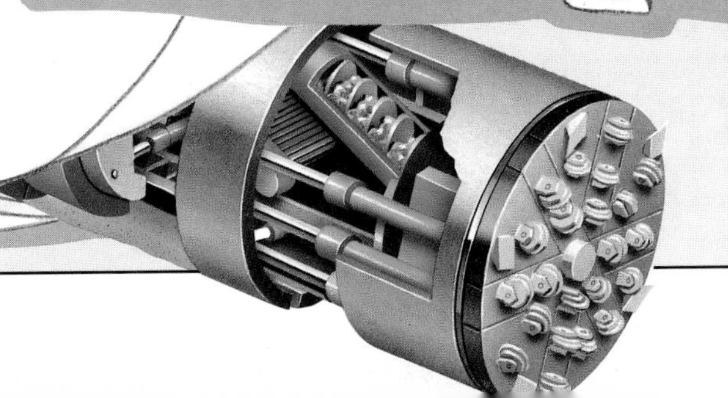

Activités

Avant de commencer, prépare tout le matériel dans un endroit propre. N'oublie pas de te laver les mains si tu confectionnes une recette de cuisine et de te protéger avec un tablier pour la cuisine et la peinture. Si tu as besoin d'un adulte, préviens-le un peu à l'avance. A la fin, range tout bien soigneusement.

▷ Voici quelques objets utiles pour les activités. Demande la permission d'utiliser ceux qui ne t'appartiennent pas ou qui peuvent être dangereux, comme un couteau ou un four.

La pâte à sel

Cette recette te permettra de réaliser la plupart des activités de modelage. Mélange la farine et le sel dans un récipient. Pour obtenir une pâte de couleur, verse un peu de colorant dans l'eau. Ajoute progressivement à ce mélange la même quantité d'eau que de farine et de sel. Modèle tes figurines et demande à un adulte de les mettre au four 5 heures. Quand la pâte à sel a refroidi, tu peux peindre tes figurines des couleurs de ton choix.

La mer

La planète bleue

De l'espace, on peut voir que la Terre est en grande partie couverte d'eau. Les terres séparent cette immense étendue d'eau en cinq océans : l'Arctique, l'Antarctique, l'Atlantique, l'océan Indien et le Pacifique. Il existe aussi des mers, plus petites.
Les deux plus importantes sont la mer des Caraïbes et la Méditerranée.

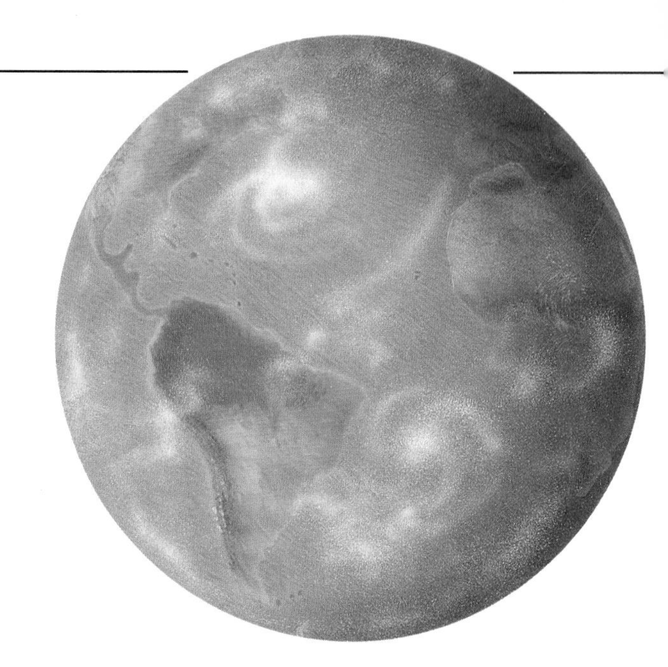

△ La surface des océans est supérieure à celle des terres. Près des trois quarts de notre planète sont recouverts d'eau.

▷ Tous les océans et les mers sont reliés. On peut donc passer de l'un à l'autre sans traverser les terres. Comme la Terre est ronde, si l'on navigue tout droit en partant de l'océan Pacifique, on finit toujours par revenir à son point de départ.

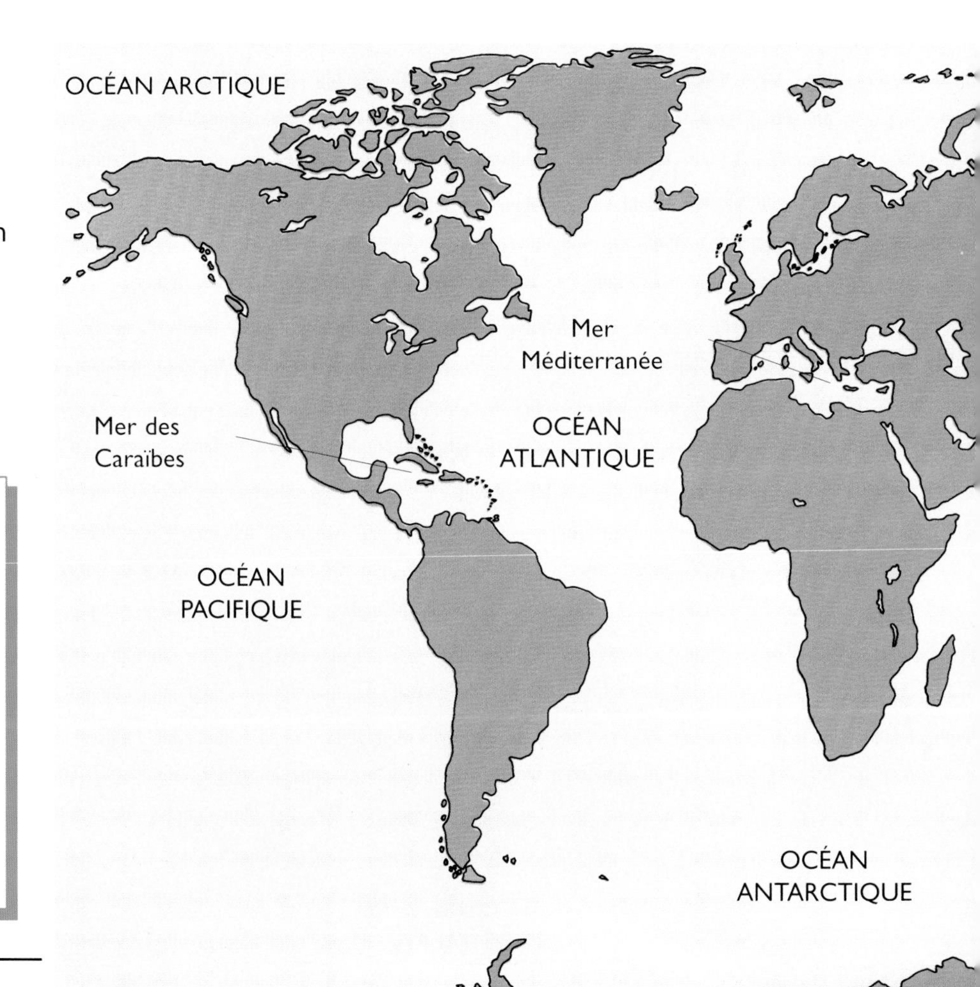

Vocabulaire

Les océans sont les cinq vastes étendues d'eau salée qui entourent les terres de notre planète.
Le plancton est formé d'animaux et de plantes minuscules qui vivent en suspension dans l'eau.

▽ La vie terrestre a commencé dans la mer il y a des millions d'années. Aujourd'hui, la mer abrite toutes sortes de plantes et d'animaux, du minuscule plancton à l'énorme baleine bleue qui le mange.

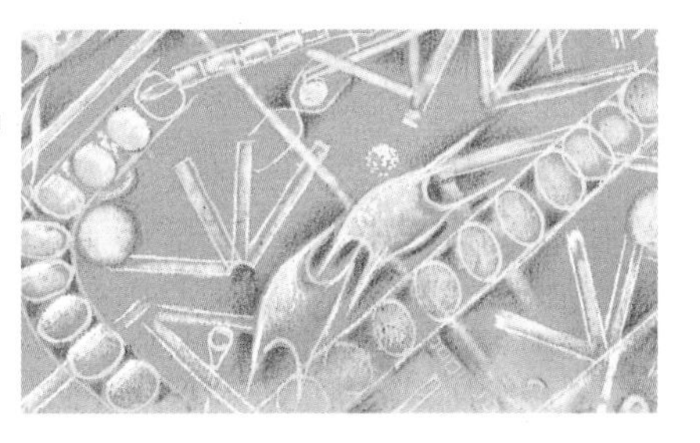

plancton

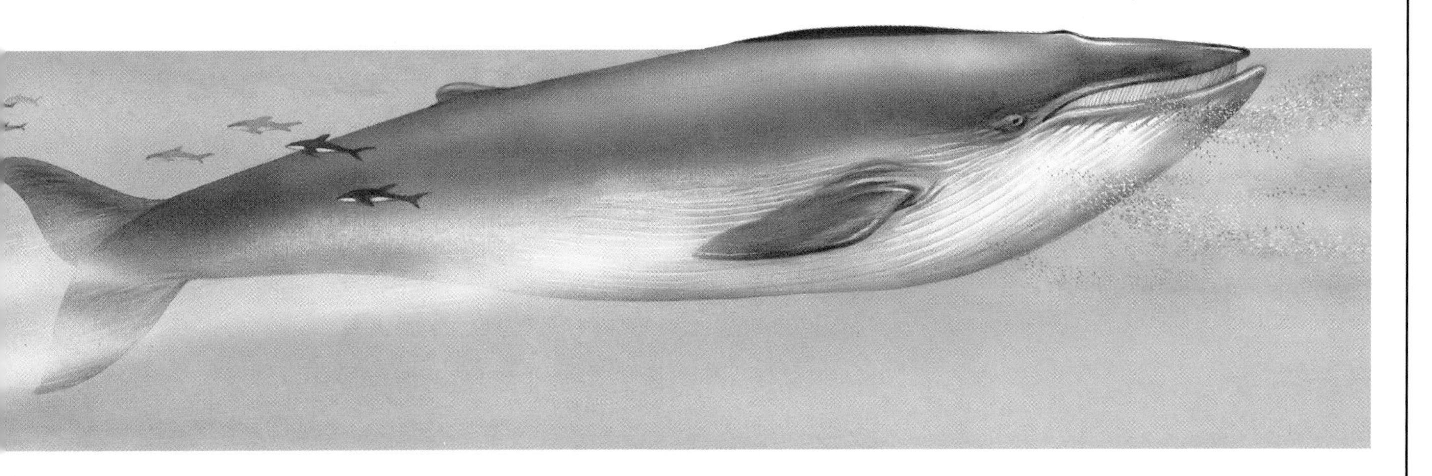

baleine bleue

Tiddalik la grenouille

(Conte folklorique australien)

Tiddalik était une énorme grenouille toujours assoiffée. Un jour, elle but toute l'eau des mares, des lacs et des rivières du monde. Il ne restait plus que la mer. Les animaux mouraient de soif, car ils ne pouvaient pas boire cette eau salée. Heureusement, l'anguille eut l'idée de se mettre à danser pour faire rire la grenouille. Tiddalik ouvrit la bouche, l'eau se déversa à nouveau dans les mares, les lacs et les rivières et les animaux furent sauvés.

Qu'est-ce que l'eau de mer ?

Si tu as déjà bu la tasse en nageant dans la mer, tu sais que l'eau de mer est salée. Le sel provient des roches de la terre. Au fur et à mesure que le vent et la pluie les usent, le sel qu'elles contiennent est rejeté dans la mer par les fleuves.

La surface de l'eau est réchauffée par les rayons du soleil. La mer n'a donc pas la même température partout. L'eau la plus chaude se trouve là où le soleil brille le plus.

△ Près des pôles Nord et Sud, l'eau est si froide qu'elle gèle. Les immenses plaques de glace qui flottent forment la banquise.

▷ Le long de l'équateur, le soleil réchauffe l'eau toute l'année. Près des pôles, l'eau est froide car le soleil brille beaucoup moins souvent.

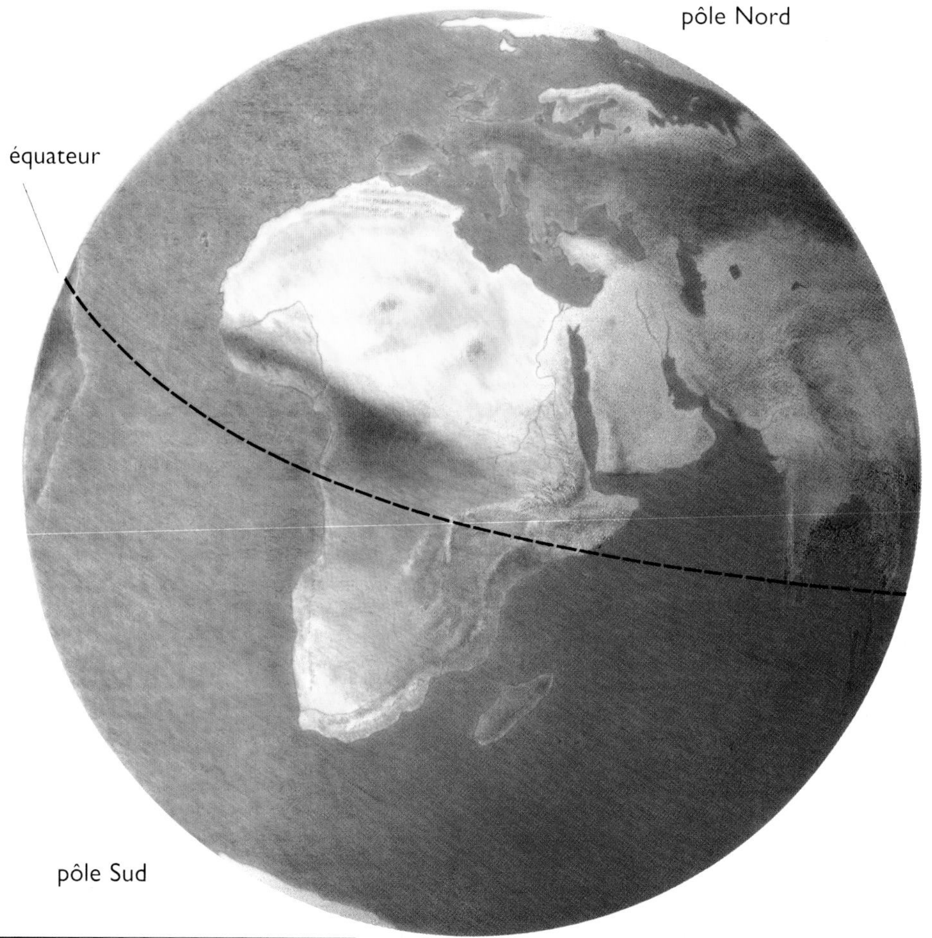

△ Grâce au soleil, les mers des tropiques, près de l'équateur, restent chaudes tout au long de l'année.

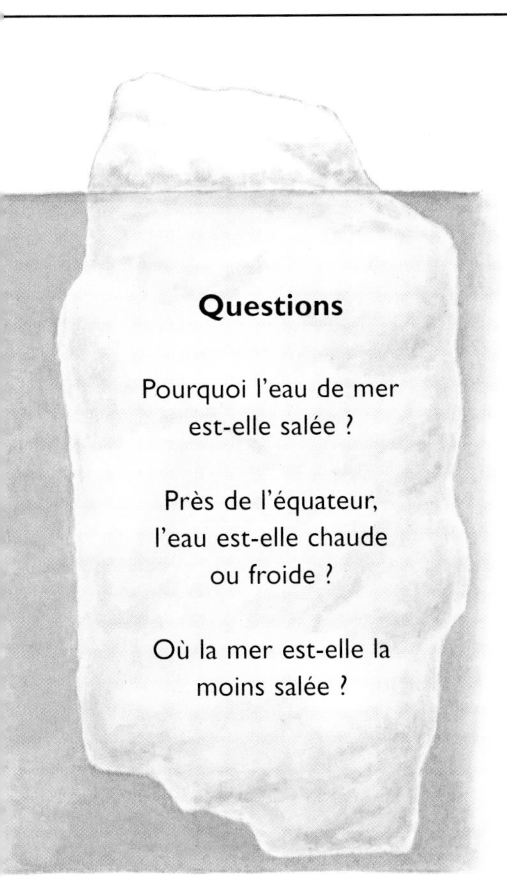

Questions

Pourquoi l'eau de mer est-elle salée ?

Près de l'équateur, l'eau est-elle chaude ou froide ?

Où la mer est-elle la moins salée ?

△ L'eau des fleuves, qu'on appelle eau douce, contient une quantité infime de sel qui ne lui donne pas de goût.

△ L'eau de mer est salée car les fleuves rejettent le sel des roches dans les océans depuis des millions d'années.

▽ L'endroit où la mer est la moins salée se trouve dans l'océan Atlantique, au large de l'Amérique du Sud. Le fleuve Amazone y déverse des millions de litres d'eau douce chaque jour.

La mer et le temps

La mer agit sur le temps car elle absorbe puis libère la chaleur du soleil. Comme elle se réchauffe et refroidit plus lentement que la terre, il fait plus doux en hiver et plus frais en été près des côtes, qu'à l'intérieur des terres.
La mer n'est jamais immobile. Tels d'immenses fleuves, les courants marins déplacent l'eau d'un bout à l'autre du monde. Certains coulent en surface, d'autres en profondeur.

△ Les icebergs et les animaux marins se déplacent avec les courants. Les thons traversent ainsi l'océan Atlantique.

▷ La mer fait partie du cycle de l'eau : la chaleur du soleil transforme une partie de l'eau de mer en vapeur, un gaz invisible qui s'élève dans l'air et forme des nuages. L'eau des nuages retombe dans la mer sous forme de pluie ou de neige. Celle qui tombe sur les terres rejoint aussi la mer grâce aux fleuves.

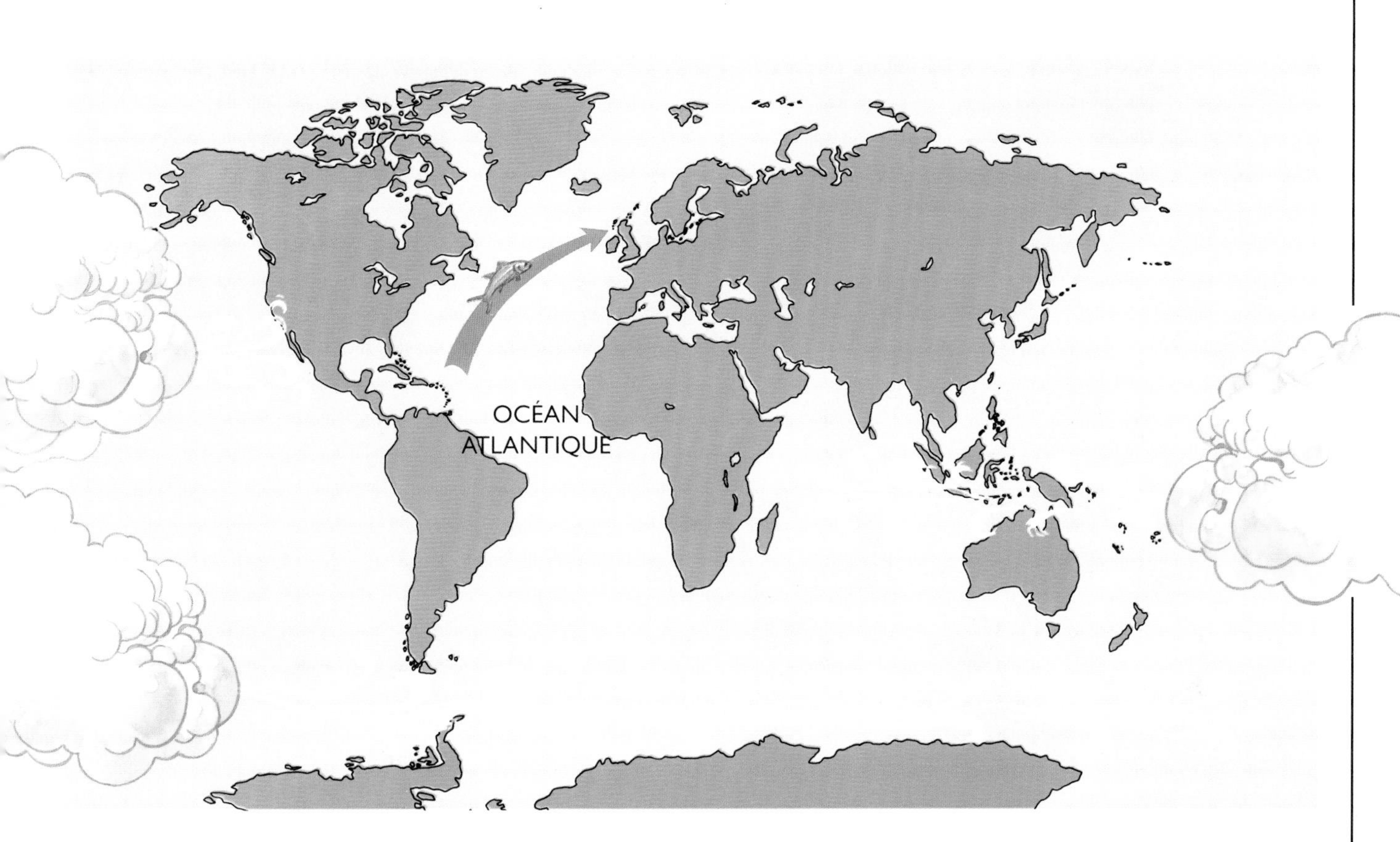

△ Les courants marins ressemblent à d'immenses fleuves que le vent pousse vers les terres. Certains sont représentés sur la carte. Ils permettent à certains animaux, comme les thons, de se déplacer d'une région du monde à une autre.

Vocabulaire

La vapeur est formée de fines gouttelettes d'eau suspendues dans l'air.
Les courants sont des mouvements qui entraînent des masses d'eau ou d'air.

Les vagues et les marées

La mer est sans cesse agitée par les vagues et les marées. La plupart des vagues sont formées par le vent. Plus il souffle fort, plus les vagues sont hautes. Elles sont amusantes pour les surfeurs, mais dangereuses pour les bateaux.

Deux fois par jour, la marée monte et descend. La mer recouvre la terre à marée haute, puis se retire à marée basse.

Le roi Canut et les marées

Jadis, les gens croyaient le roi Canut capable de tout, même d'arrêter les marées. Alors il leur montra que personne ne peut les arrêter.

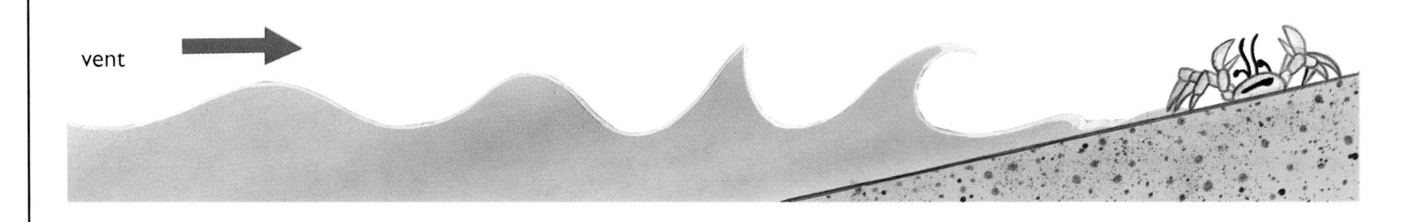

▽ Le vent soulève parfois à la surface de la mer des petites vagues surmontées d'écume, qu'on appelle des moutons.

Questions

Que se passe-t-il à marée haute ?

Qu'est-ce qui provoque les raz-de-marée ?

Qu'est-ce qu'un mouton ?

Fais des vagues dans ton bain

Les vagues semblent avancer, alors qu'en fait elles montent et descendent. Pour t'en rendre compte, agite l'eau de ton bain avec la main et pose un jouet sur l'eau.

▽ Lorsque l'eau monte près du rivage, c'est la marée haute. Lorsqu'elle descend, c'est la marée basse. Les bateaux du port se retrouvent alors parfois couchés dans la vase.

▽ À terre, les raz-de-marée peuvent provoquer d'importants dégâts. Ils sont déclenchés par les tremblements de terre et les volcans sous-marins.

Le long de la côte

Le littoral désigne l'endroit où la terre et la mer se rencontrent. Sa forme se modifie au fur et à mesure que le vent et les vagues rongent la terre. Cela s'appelle l'érosion. Les rochers se détachent de la côte et tombent dans la mer. Ils s'entrechoquent dans les vagues et se cassent en petits morceaux. À la fin, les minuscules fragments de roches et de coquillages forment des grains de sable.

Fabrique un presse-papiers
Nettoie un galet et peins un poisson ou un monstre marin dessus. Protège-le d'une couche de vernis à ongles transparent. Une fois sec, tu pourras t'en servir de presse-papiers.

▷ Dans les roches tendres des falaises, les vagues creusent des baies, des grottes et des arches. Les roches dures qui restent forment des caps ou de hauts rochers.

Vocabulaire

L'érosion est l'usure que le vent, le gel, la mer font subir aux roches.
Les sédiments sont les graviers, le sable et la boue transportés par les fleuves et la mer.

△ L'érosion modifie peu à peu la forme du littoral. Il est arrivé que des maisons s'effondrent dans l'eau parce que la mer avait fortement érodé la falaise sur laquelle elles étaient bâties.

△ Les vagues se fracassent sur les rochers.

△ Les rochers se brisent et s'usent.

△ Le sable est composé de fragments de roches.

Le rivage

Le littoral abrite toutes sortes d'animaux. Certains vivent dans les mares qui se forment entre les rochers, d'autres sur les hautes falaises qui surplombent la plage. Ils se nourrissent de poissons, de minuscules animaux et de plantes, appelés plancton.

Pourquoi le crabe n'a pas de tête
(Conte folklorique africain)

La déesse Nzambi créa tous les animaux. Lorsque ce fut le tour du crabe, elle n'eut pas le temps d'achever son œuvre avant l'heure du coucher. «Reviens demain pour ta tête», lui dit-elle. «Je suis tellement important que Nzambi mettra deux jours à me faire», se vanta le crabe auprès des autres animaux.
En apprenant sa vanité, Nzambi décida de ne pas lui donner de tête.
Honteux, il se réfugia sous un rocher. Depuis, ses yeux sont fixés sous sa carapace car il n'a toujours pas de tête.

◁ De nombreux oiseaux vivent sur la côte. Les macareux nichent dans des terriers sur les falaises, les fous de Bassan construisent des nids d'algues et les guillemots pondent leurs œufs sur des rochers saillants.

△ La dentelaire pousse sur de nombreuses côtes du monde entier.

△ À marée haute, les animaux des rochers cherchent leur nourriture. Les bernaches attrapent le plancton de leurs bras duveteux.

▷ À marée basse, les bernaches et les moules se referment. Les escargots et les chapeaux chinois s'accrochent aux rochers. Les crabes et les étoiles de mer se cachent.

Fabrique une malle aux trésors

Ramasse des coquillages sur la plage. Colle-les sur un carton pour le décorer. Sur le couvercle, écris «Malle aux trésors». Tu pourras y ranger tous les objets rejetés par la mer que tu trouveras sur la plage.

Les algues

Les algues sont des plantes qui n'ont pas de racines. Elles s'agrippent aux rochers à l'aide de sortes de ventouses, appelées crampons. Les algues poussent à différentes profondeurs. Elles sont souples et suivent le mouvement de l'eau pour ne pas être abîmées par les vagues, les marées et les courants.

△ Les algues géantes appelées varech poussent dans les eaux profondes. Elles forment des sortes de forêts où les phoques viennent se cacher.

▽ Certaines algues, comme le raisin de mer, ont des grains remplis de gaz qui leur permettent de flotter et de bouger avec l'eau.

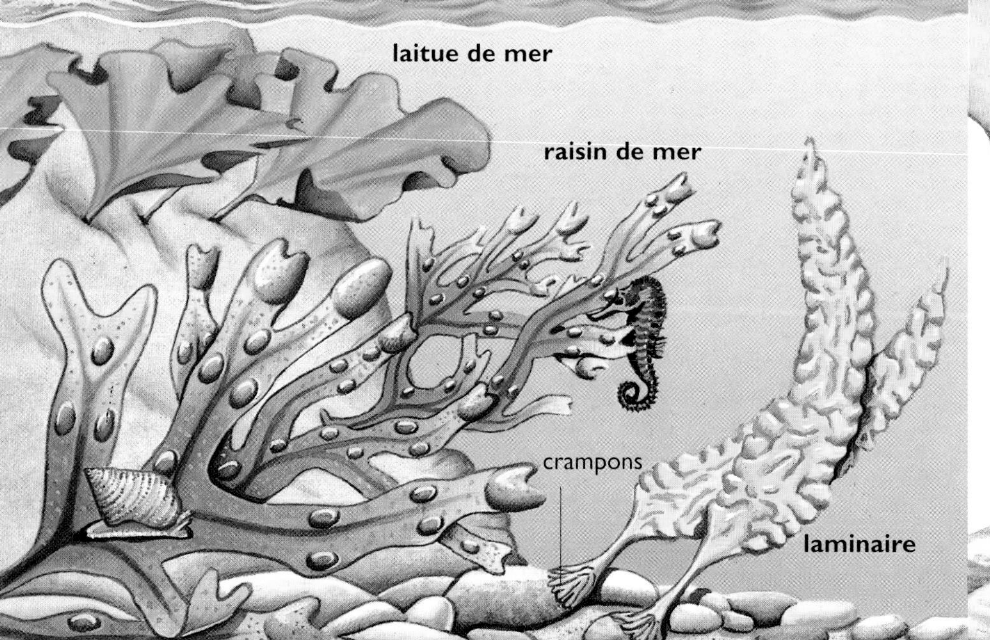

Questions

Que font les phoques dans le varech ?

Pourquoi les algues suivent-elles le mouvement de l'eau ?

Les algues ont-elles des racines ?

Dans le sable

Sur les plages de sable, le vent forme souvent des petites collines appelées dunes. Au bord de l'eau, les animaux s'enterrent dans le sable pour se protéger lorsque la marée descend.

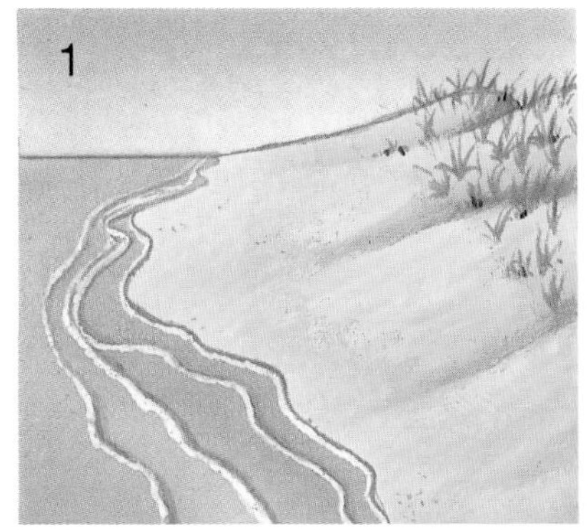

△ Les herbes qui poussent dans les dunes retiennent le sable.

Sculpte le sable
Sculpte une tortue géante ou un monstre imaginaire dans le sable mouillé. Décore ta sculpture avec des coquillages, des algues et des brindilles.

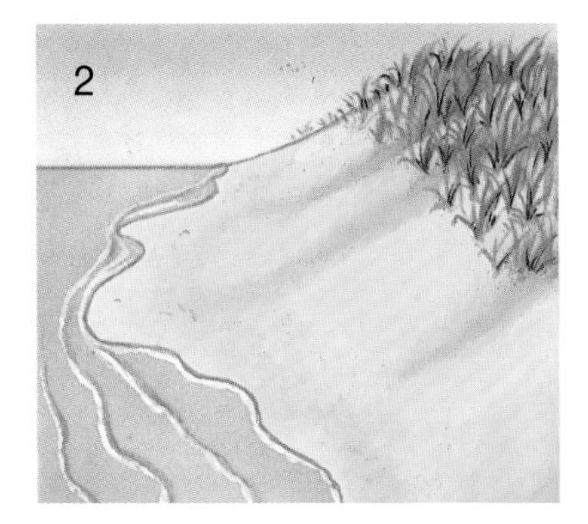

△ Le sable poussé par le vent s'accumule et les dunes grandissent.

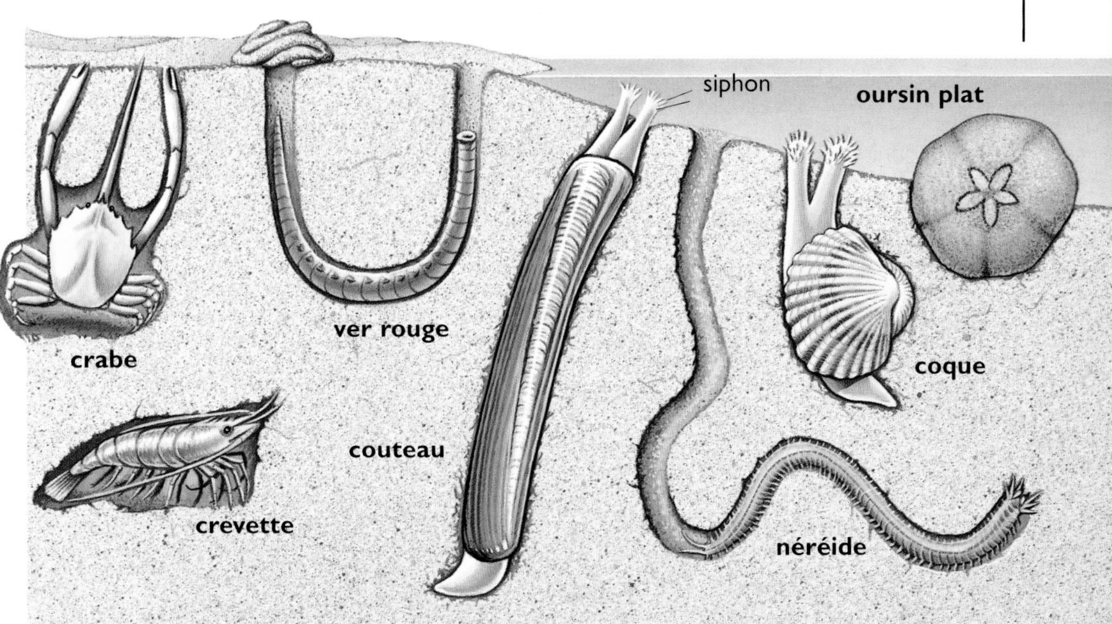

▷ Certains mollusques ont un pied ventral qui leur permet de s'enterrer dans le sable. À marée haute, ils aspirent leur nourriture dans l'eau de mer à l'aide de tubes appelés siphons.

Les estuaires et les deltas

Lorsqu'un fleuve se jette dans la mer, on dit qu'il a atteint son embouchure.
Si l'embouchure est large, c'est un estuaire. Là, l'eau douce du fleuve se mélange à l'eau de mer salée. Dans les estuaires où les fleuves déposent des graviers et du sable, un delta se forme. De nombreux animaux vivent sur ce triangle de terre marécageuse.

◁ Grâce à ses hautes pattes, l'échassier peut traverser l'eau des estuaires et des deltas. Il cherche sa nourriture dans la vase avec son long bec pointu.

▽ L'eau douce du fleuve se jette dans la mer. À marée haute, l'eau de mer, qui est salée, remonte dans l'estuaire.

▷ Le delta est un estuaire dans lequel le fleuve a déposé de la vase. Il a une forme triangulaire car le fleuve se sépare en plusieurs bras pour rejoindre la mer.

Fabrique des échasses

Soulève le couvercle de deux boîtes de conserve vides pour y coincer deux longs morceaux de corde. Retourne les boîtes. Enroule du ruban adhésif plusieurs fois autour de chaque boîte pour maintenir la corde en place. Pose un pied sur chaque boîte et fais-les avancer en tenant les extrémités de la corde.

▽ De nombreux oiseaux vivent dans les deltas. Ils fouillent la vase de leurs becs pointus pour trouver les vers dont ils se nourrissent.

Les marais et les marécages

La côte est parfois bordée de bandes de terre humide appelées marais et marécages. Les racines des plantes qui poussent là empêchent le sable, les graviers et la boue d'être emportés par la mer. Ces nappes d'eau abritent et nourrissent de nombreux animaux.

Puck le lutin

Connais-tu Puck, le lutin espiègle de la pièce de William Shakespeare intitulée Le Songe d'une nuit d'été *? Il représente la lumière scintillante que les gaz des marais émettent en brûlant.*

▷ Le héron arpente les marais à la recherche des poissons qu'il attrape avec son long bec pointu.

▷ Il n'y a pas d'arbres dans les marais. Les racines des herbes retiennent le sable et la boue, ou sédiments.

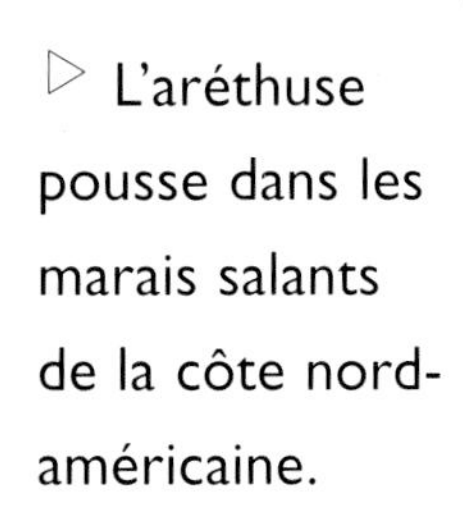

▷ L'aréthuse pousse dans les marais salants de la côte nord-américaine.

Pour faire une libellule
Gonfle un ballon long. Tords-le deux fois puis noue-le avec de la ficelle pour faire le corps et la tête. Colle du papier journal pour le recouvrir et peins-le. Forme les ailes avec du fil de fer recouvert de papier calque. Fixe-les au corps avec du fil de fer. Colle des cure-pipes pour les pattes.

▷ Les palétuviers sont des arbres qui poussent dans les marécages tropicaux. Leurs longues racines qui sortent de la vase maintiennent leur tronc au-dessus de l'eau, même à marée haute.

◁ Le mocassin est un serpent d'eau qui vit dans certains marécages d'Amérique du Nord.

Sous la mer

Toutes les créatures de la mer ne vivent pas à la même profondeur. La plupart des animaux et des plantes vivent près de la surface. Il y fait chaud et les plantes reçoivent assez de lumière pour pousser. Le fond de la mer abrite peu d'animaux car il y fait froid et sombre.

Questions

Qu'est-ce qu'une proie ?

Où les plantes marines poussent-elles ?

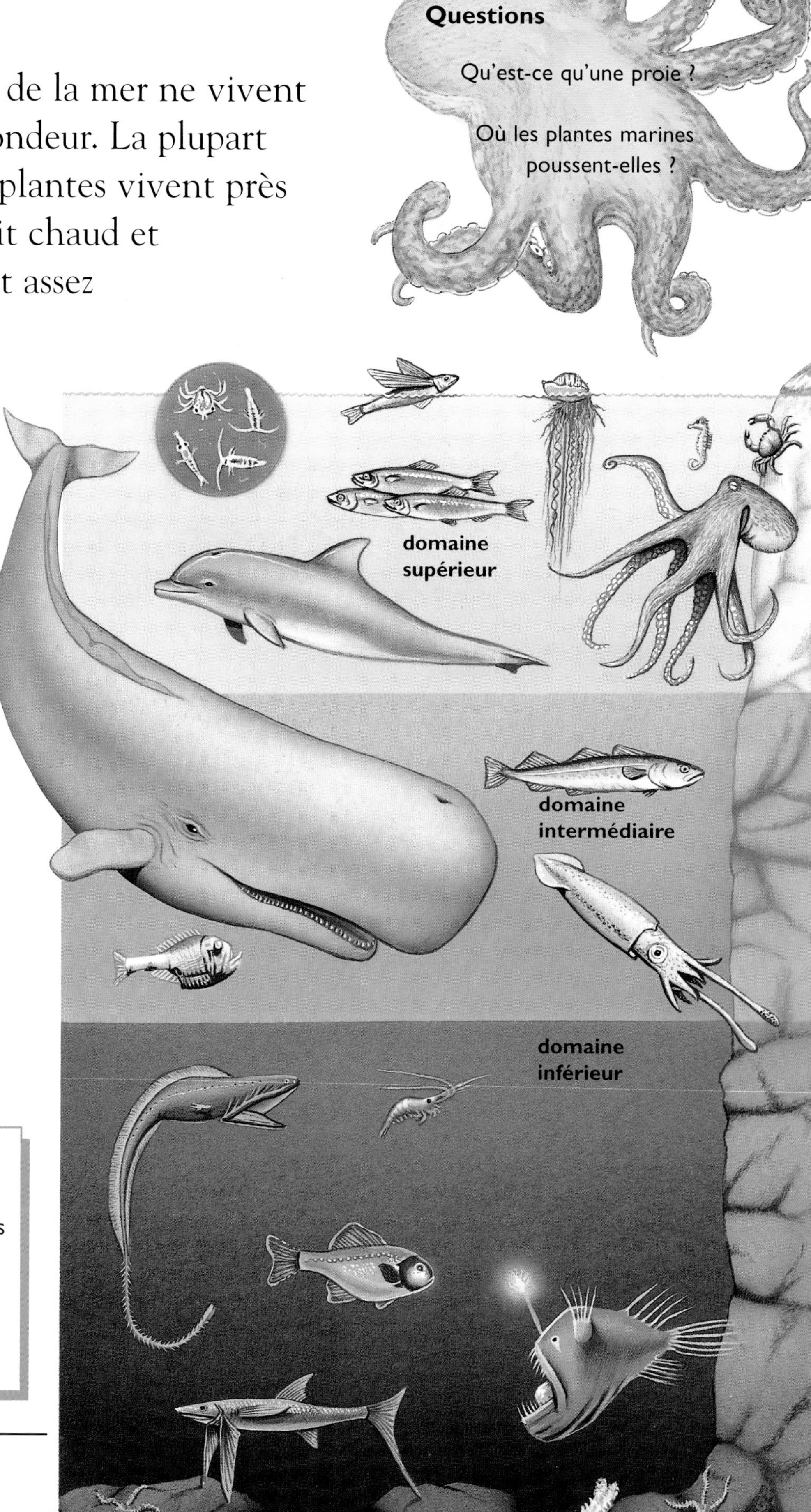

▷ Les animaux qui chassent d'autres animaux sont des prédateurs. La plupart du temps, ils vivent dans le même domaine que les animaux qu'ils mangent, leurs proies. Mais les créatures du fond de la mer mangent aussi la nourriture qui tombe de la surface.

Vocabulaire

Les prédateurs sont des animaux qui en tuent d'autres pour se nourrir.
Les proies sont les animaux chassés par les prédateurs.

Le plancton

Le plancton est formé d'animaux et de plantes microscopiques qui vivent près de la surface de la mer. Il constitue la nourriture de nombreux animaux marins. Le plancton animal mange le plancton végétal.

△ Le plancton est si petit qu'il faut un microscope pour le voir.

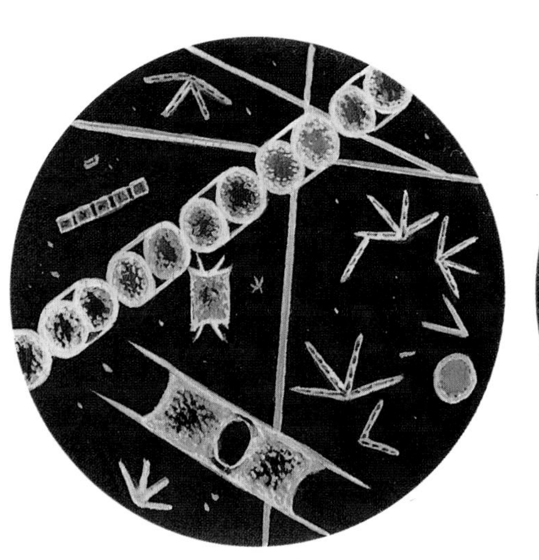

plancton végétal vu au microscope

plancton animal vu au microscope

▷ Le plus gros mammifère marin, la baleine bleue, se nourrit de plancton animal. Elle peut en avaler quatre tonnes par jour.

maquereau

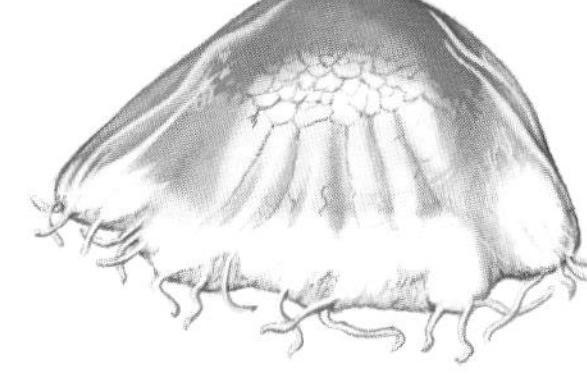

méduse

anémone de mer

△ Les anémones de mer, les méduses et les maquereaux mangent du plancton.

La chaîne alimentaire

Tous les animaux marins doivent se nourrir. Les petits mangent de minuscules plantes. Les gros chassent les petits et se font manger par de plus gros qu'eux. C'est la chaîne alimentaire.

Pour survivre en mer, les animaux doivent trouver de quoi se nourrir tout en évitant d'être mangés. Ils se cachent et se protègent de différentes manières.

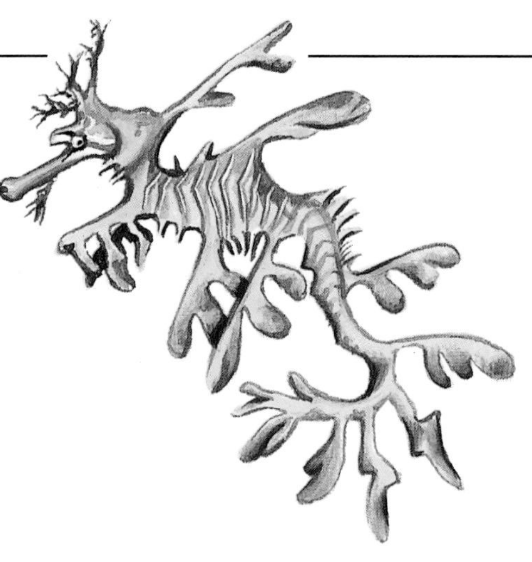

△ Le dragon de mer ne se voit pas bien car il ressemble à une algue.

▷ Il existe des milliers de chaînes alimentaires marines. En voici un exemple : l'épaulard mange le phoque qui mange la morue qui mange le hareng, etc.

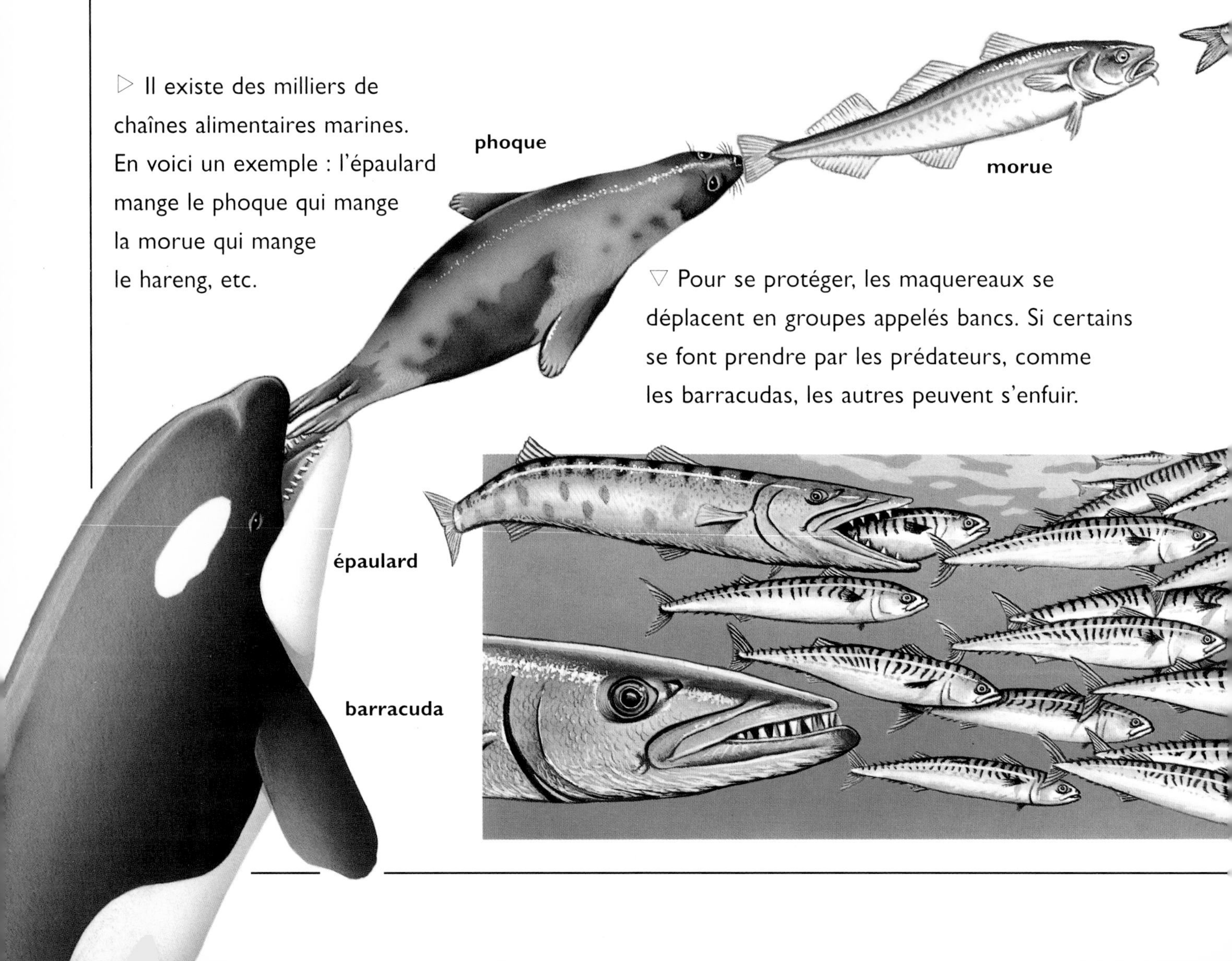

▽ Pour se protéger, les maquereaux se déplacent en groupes appelés bancs. Si certains se font prendre par les prédateurs, comme les barracudas, les autres peuvent s'enfuir.

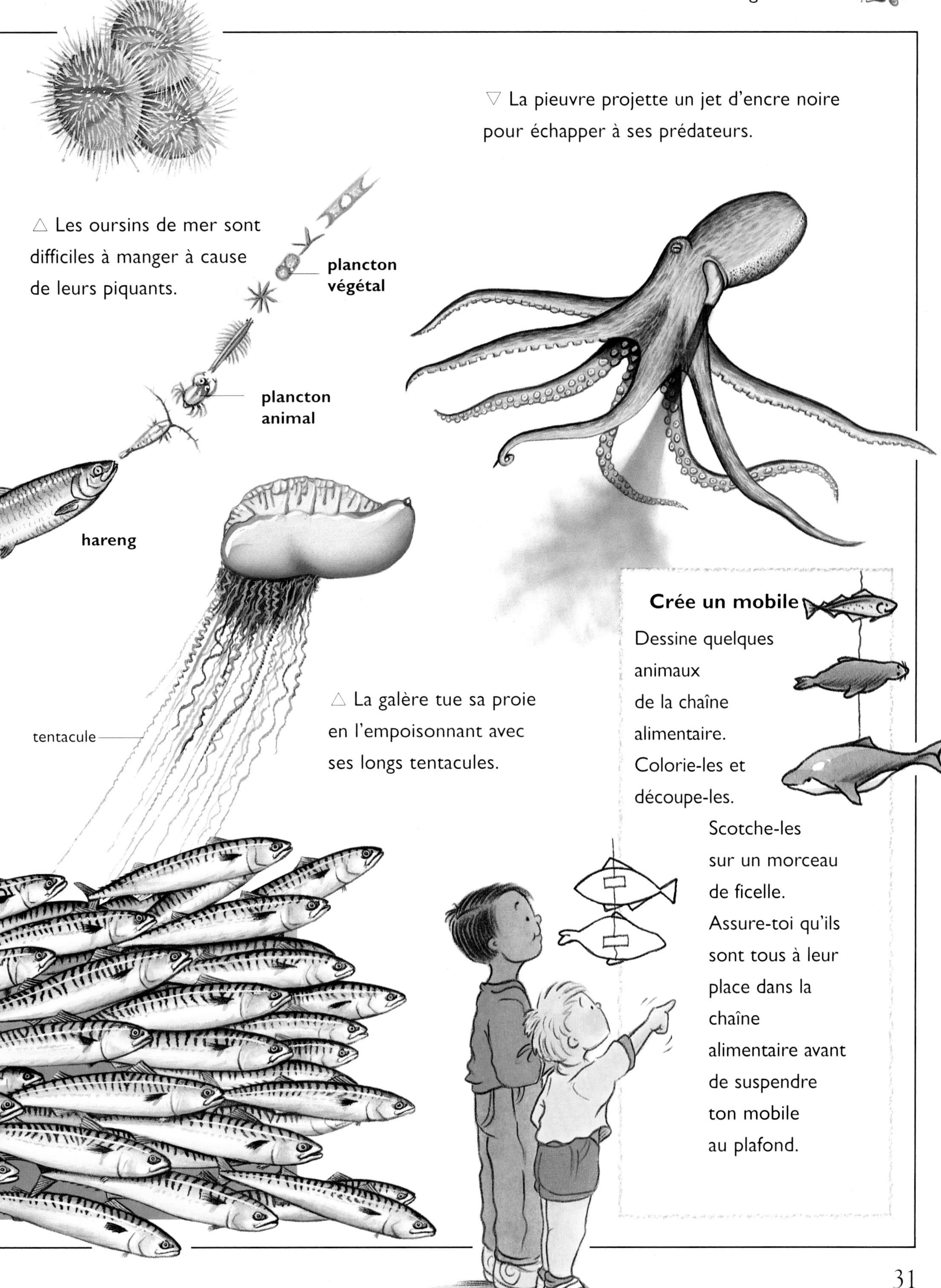

△ Les oursins de mer sont difficiles à manger à cause de leurs piquants.

▽ La pieuvre projette un jet d'encre noire pour échapper à ses prédateurs.

△ La galère tue sa proie en l'empoisonnant avec ses longs tentacules.

Crée un mobile

Dessine quelques animaux de la chaîne alimentaire. Colorie-les et découpe-les. Scotche-les sur un morceau de ficelle. Assure-toi qu'ils sont tous à leur place dans la chaîne alimentaire avant de suspendre ton mobile au plafond.

Les poissons

La mer abrite environ treize mille espèces différentes de poissons. Comme les pays, les mers peuvent être froides ou chaudes. Certains poissons vivent dans les eaux froides de la haute mer, loin des côtes. D'autres vivent dans les eaux plus chaudes et moins profondes des mers tropicales. Les poissons tropicaux sont souvent très colorés.

Le poisson magique
(Conte folklorique scandinave)

Un jour, un pauvre pêcheur attrapa un poisson magique. «Si tu me laisses partir, je t'accorderai un souhait», dit le poisson. Le pêcheur demanda une grande maison et son vœu fut exaucé. Il ne cessa alors de reprendre le poisson et d'exprimer de nouveaux souhaits. Tous se réalisèrent. Mais lorsqu'il demanda

poissons des mers froides

Trouve
1 un marlin
2 une raie
3 un thon
4 une morue
5 un poisson-scie
6 un maquereau

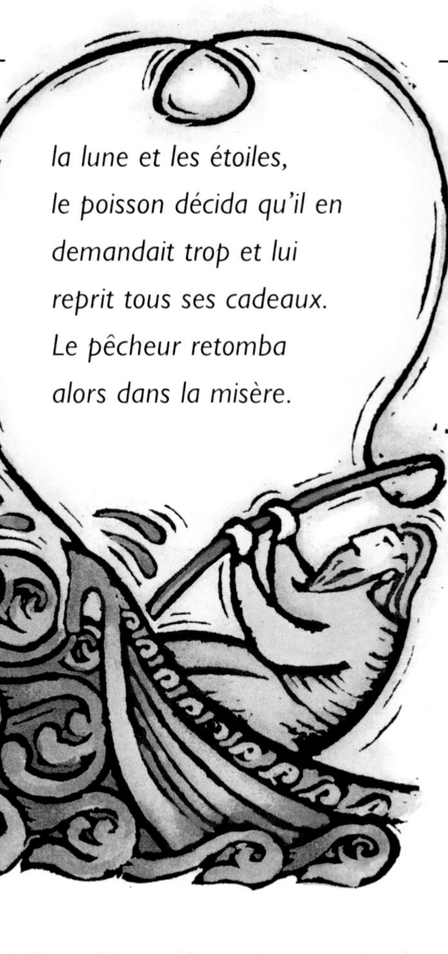

la lune et les étoiles, le poisson décida qu'il en demandait trop et lui reprit tous ses cadeaux. Le pêcheur retomba alors dans la misère.

Fabrique un aquarium

Peins le fond d'une boîte à chaussures en bleu-vert et pose-la sur le côté. Dessine puis découpe des poissons tropicaux multicolores. Fixe les poissons en haut de la boîte avec du scotch et de la ficelle. Ajoute des éponges et des pierres de couleur.

poissons des mers chaudes

Trouve

1 un ange de mer
2 un coffre
3 un perroquet de mer
4 un poisson-papillon
5 une rascasse
6 une bécasse de mer

Les poissons du fond des mers

Dans les profondeurs de la mer, il fait sombre et froid. Peu d'animaux y vivent, car il n'y a pas beaucoup de nourriture. Les poissons du fond des mers sont souvent petits. Certains ont des dents pointues, d'énormes bouches et de petites lumières pour attraper les autres poissons.

La course des poissons
Découpez des poissons dans du papier de soie, puis alignez-les. Chaque joueur doit faire avancer son poisson en agitant un journal pour faire de l'air. Le premier qui atteint l'autre bout de la pièce a gagné.

▽ Les poissons des profondeurs chassent les autres poissons. Le grandgousier garde son énorme bouche ouverte et attend que les petits poissons y pénètrent. La baudroie fait miroiter sa petite lumière pour faire croire qu'il s'agit d'un ver.

Le grand voyage

De nombreux animaux marins parcourent les mers. Certaines anguilles traversent l'Atlantique. Elles naissent dans les eaux chaudes de la mer des Sargasses, puis elles rejoignent les rivières d'Europe avant de retourner dans la mer des Sargasses où elles pondent leurs œufs.

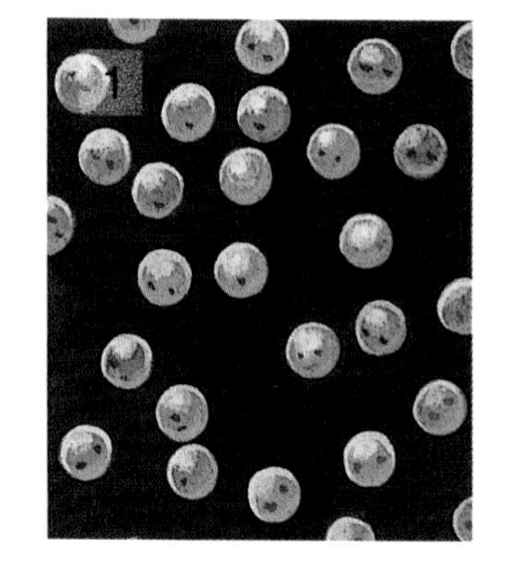

△ Les œufs d'anguille éclosent dans la mer des Sargasses.

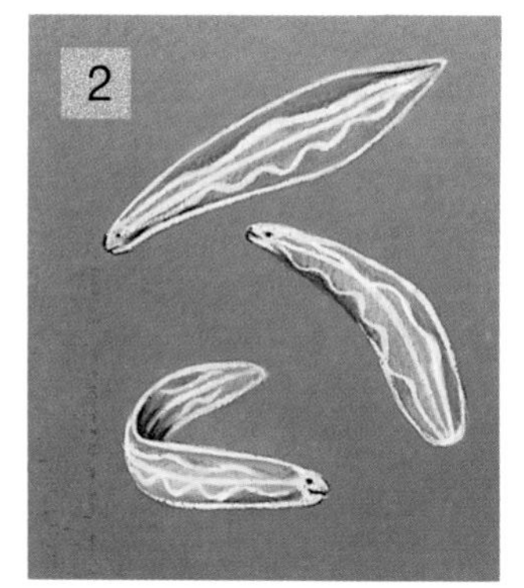

△ Les bébés anguilles traversent l'océan Atlantique.

▽ Les bébés anguilles mettent trois ans pour atteindre l'Europe.

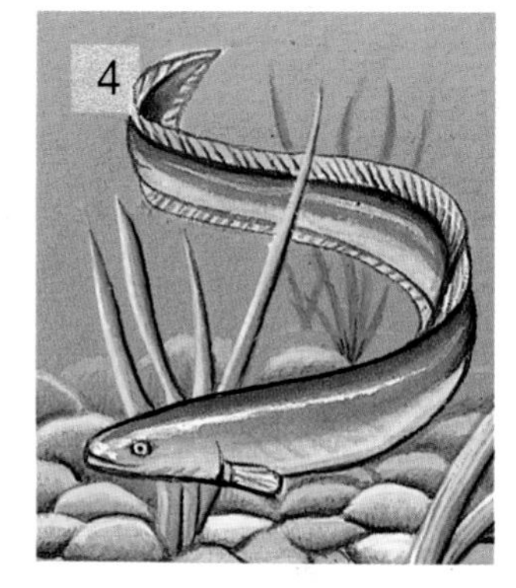

△ Ils grandissent dans les fleuves d'Europe.

△ Puis ils retournent dans la mer des Sargasses.

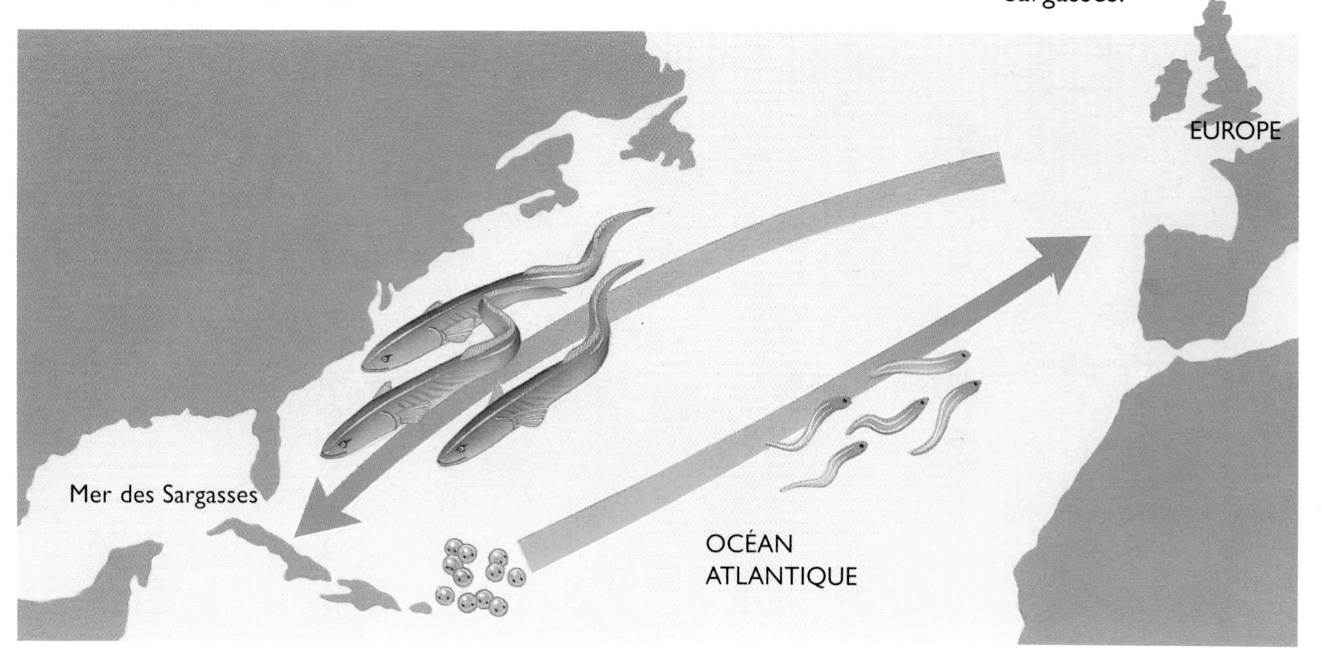

Les dauphins et les baleines

Les dauphins et les baleines ne sont pas des poissons, mais des mammifères comme les chiens et les chevaux. Ils doivent remonter à la surface pour respirer avec leur évent, un trou situé sur le sommet de leur tête. Ils ne pondent pas d'œufs comme les poissons, mais mettent bas et nourrissent leurs petits avec leur lait.

△ Les dauphins nourrissent leurs petits avec leur lait.

◁ Les dauphins sont très joueurs. Ils adorent faire des bonds dans l'eau.

▽ À la place des dents, les baleines à bosse ont des fanons. Lorsqu'elles engloutissent une gorgée d'eau, les fanons filtrent le plancton.

fanons

△ Les baleines carnivores, comme les épaulards, ont des dents.

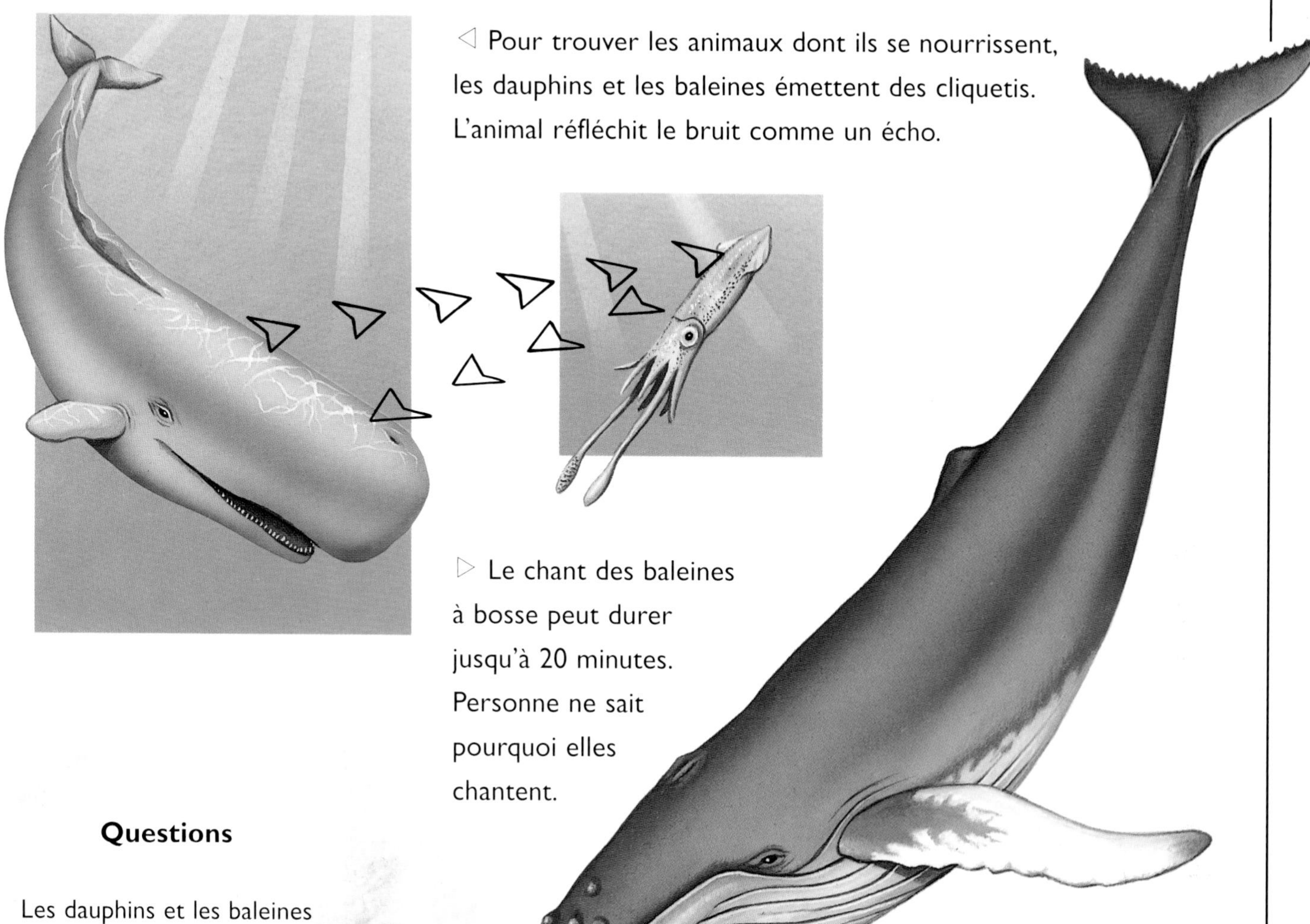

◁ Pour trouver les animaux dont ils se nourrissent, les dauphins et les baleines émettent des cliquetis. L'animal réfléchit le bruit comme un écho.

▷ Le chant des baleines à bosse peut durer jusqu'à 20 minutes. Personne ne sait pourquoi elles chantent.

Questions

Les dauphins et les baleines sont-ils des poissons ?

Qu'est-ce qu'une baleine à bosse a à la place des dents ?

Jonas et la baleine

Selon une très vieille légende, un homme prénommé Jonas fut avalé par une baleine et recraché trois jours plus tard sur le rivage.

Un monde qui évolue

La surface de la Terre se compose de treize plaques qui se déplacent sous l'action des roches en fusion situées en profondeur. Ce mouvement continu modifie lentement la forme des terres et des mers car lorsqu'une plaque bouge, la terre et la mer qui se trouvent au-dessus bougent aussi. Aujourd'hui, les terres forment sept continents. Il y a deux cent millions d'années, il n'en existait qu'un : la Pangée.

△ La surface de la Terre se compose d'immenses plaques sur lesquelles reposent la terre et la mer.

▽ Les plaques flottent sur les roches en fusion du centre de la Terre. Lorsque ces roches bougent, les plaques s'éloignent les unes des autres ou se heurtent.

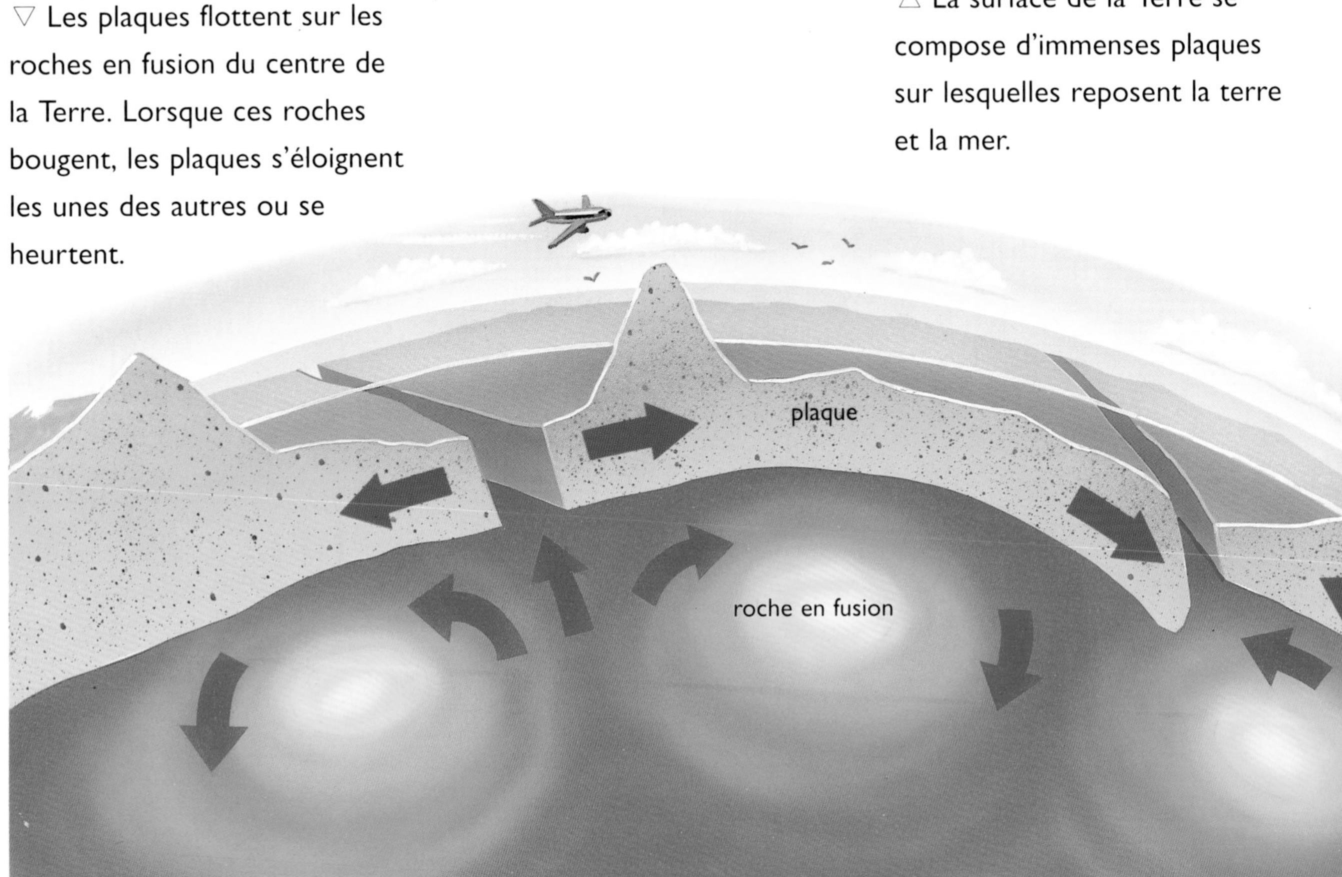

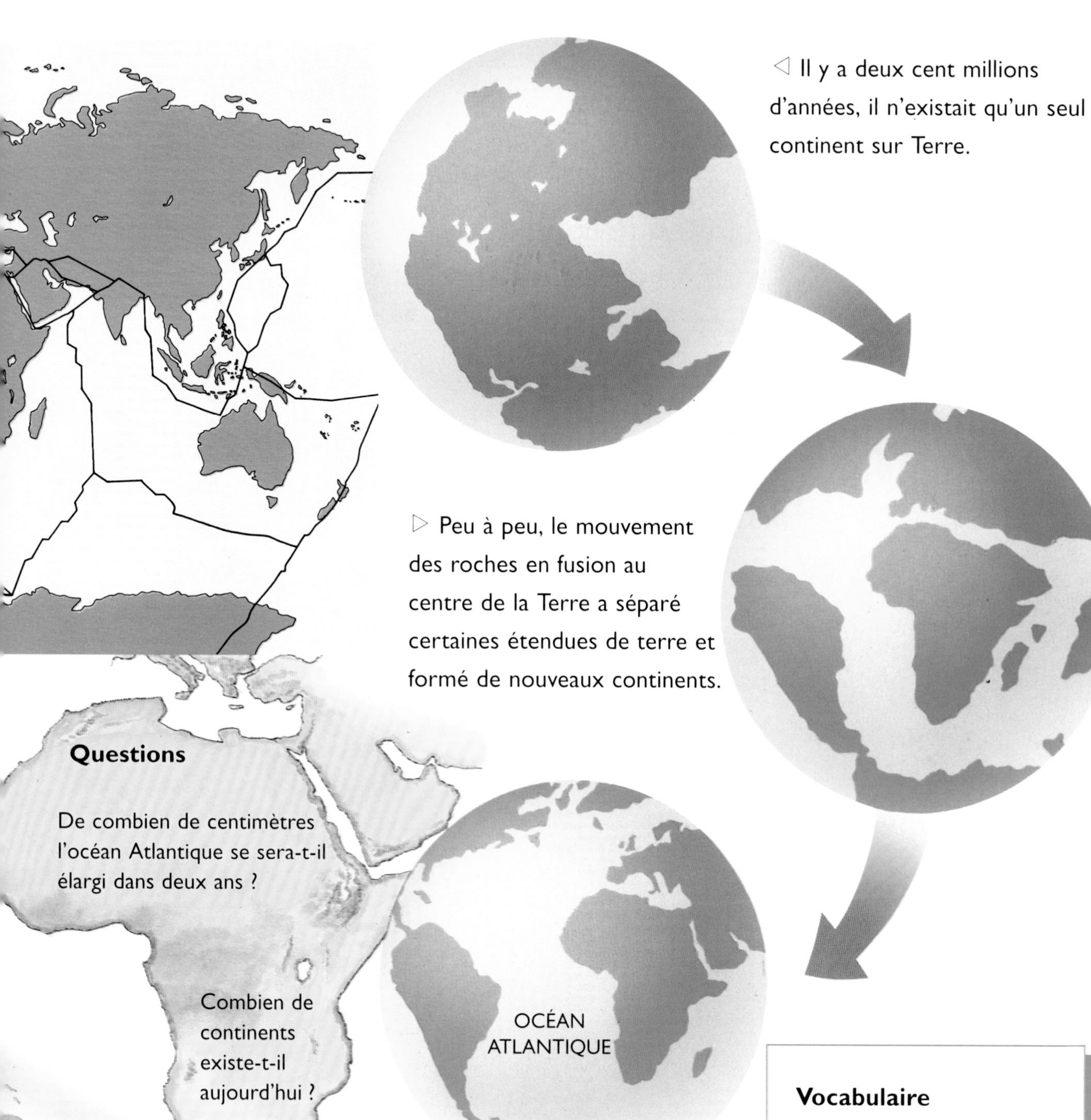

◁ Il y a deux cent millions d'années, il n'existait qu'un seul continent sur Terre.

▷ Peu à peu, le mouvement des roches en fusion au centre de la Terre a séparé certaines étendues de terre et formé de nouveaux continents.

Questions

De combien de centimètres l'océan Atlantique se sera-t-il élargi dans deux ans ?

Combien de continents existe-t-il aujourd'hui ?

△ Aujourd'hui, il existe sept continents. La taille et la forme des terres et des océans changent constamment. L'océan Atlantique s'élargit de quatre centimètres par an.

Vocabulaire

Les sept continents sont l'Afrique, l'Amérique du Nord, l'Amérique du Sud, l'Antarctique, l'Asie, l'Europe et l'Océanie.

Les plaques sont d'immenses fragments de la croûte terrestre.

Les fonds marins

Le fond de la mer n'est pas toujours plat. On y trouve les vallées les plus profondes et les montagnes les plus hautes de la planète. Les montagnes se forment lorsqu'un volcan sous-marin entre en éruption. Si le volcan est assez haut pour émerger, il forme une île à la surface de la mer.

△ Le 14 avril 1988, trois hommes pêchaient en mer près de Sabah, en Malaisie. Soudain, ils ont vu un volcan entrer en éruption et une île surgir devant leurs yeux !

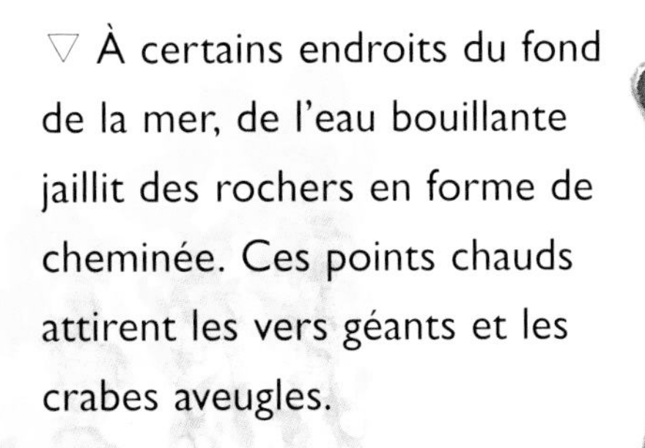

▽ À certains endroits du fond de la mer, de l'eau bouillante jaillit des rochers en forme de cheminée. Ces points chauds attirent les vers géants et les crabes aveugles.

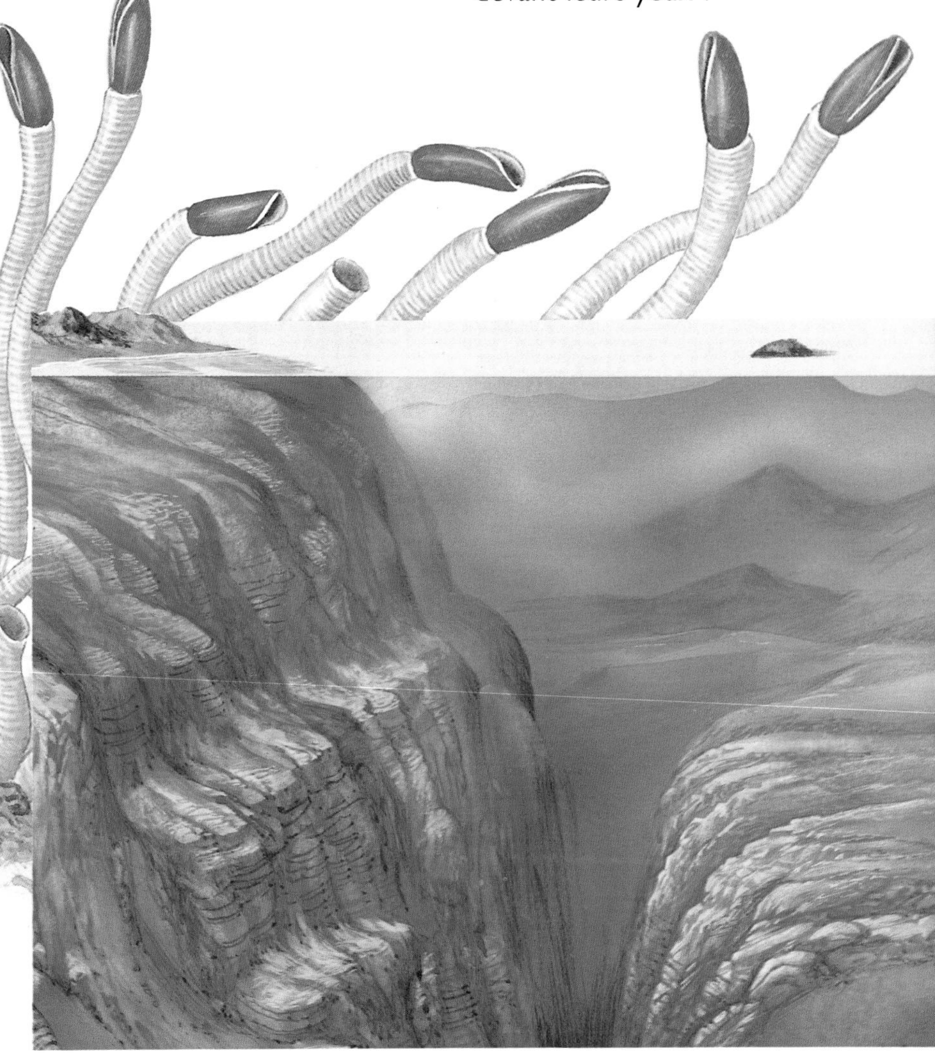

▷ Au fond de la mer, il existe des montagnes et des vallées. Les plus hautes montagnes forment des îles.

Crée un paysage marin

Fabrique des montagnes en pâte à modeler. Installe-les dans une bassine, puis verse de l'eau pour créer des îles.

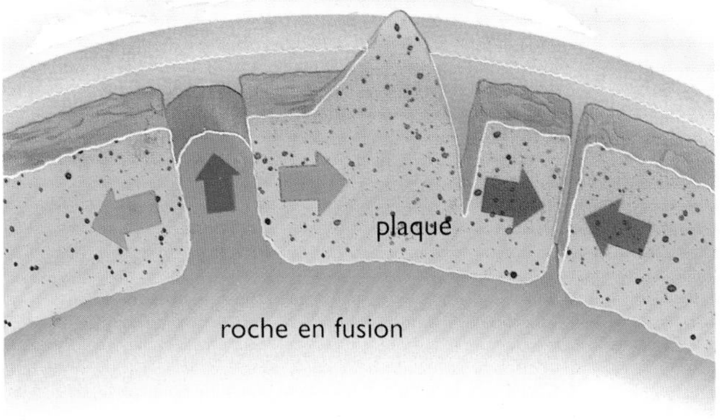

△ Sous la mer, les plaques s'éloignent les unes des autres ou se rapprochent selon le mouvement des roches en fusion du centre de la Terre.

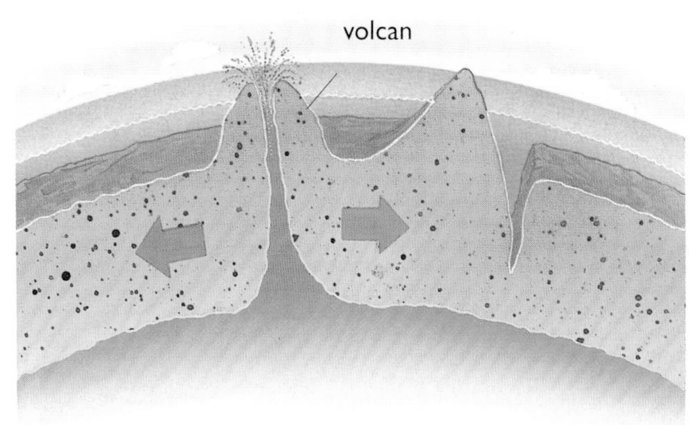

△ Quand les plaques s'éloignent, la roche en fusion, ou lave, jaillit à la surface de la mer, comme lors d'une éruption de volcan. Ensuite elle refroidit et se transforme en roche dure.

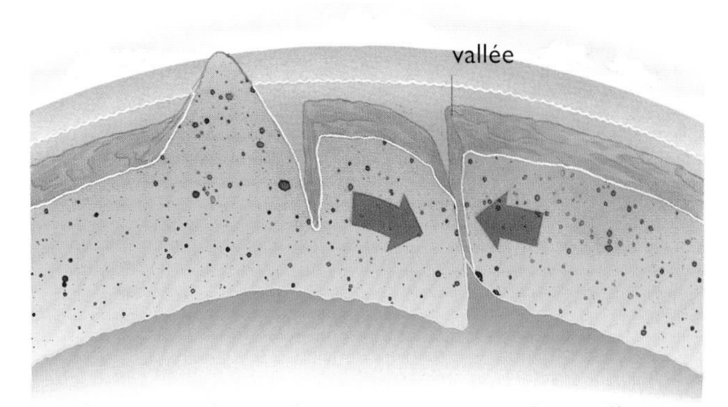

△ Lorsque deux plaques se rapprochent, l'une est poussée sous l'autre. Après des millions d'années, il se forme une profonde vallée.

Les coraux

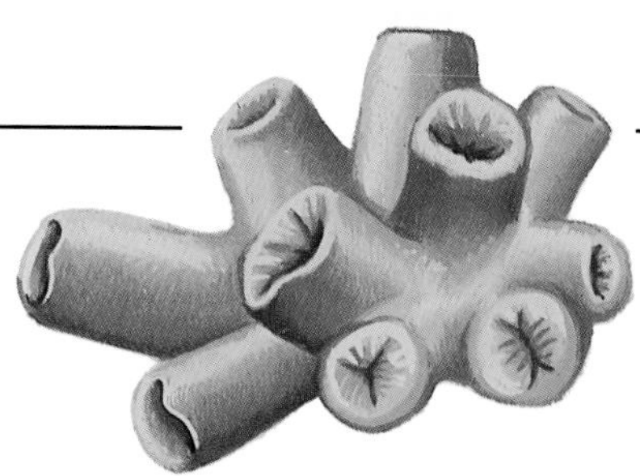
corail rouge

Les eaux chaudes et peu profondes des nouvelles îles qui apparaissent dans les régions chaudes du monde attirent les coraux. Ce sont de minuscules animaux qui s'accrochent aux rochers. Lorsqu'ils meurent, de nouveaux coraux viennent s'installer sur leurs squelettes. Peu à peu, ils forment autour de l'île un récif qui abrite une foule de plantes et d'animaux multicolores.

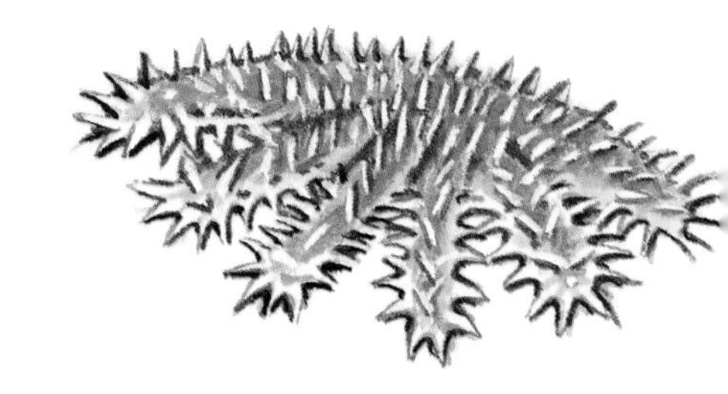
△ Le coussin de belle-mère détruit les récifs coralliens car il se nourrit de coraux.

▷ Toutes sortes d'animaux et de plantes peuplent les récifs de corail et leurs alentours. Ils y trouvent de nombreux refuges et une nourriture abondante.

gorgone éventail

méandrine

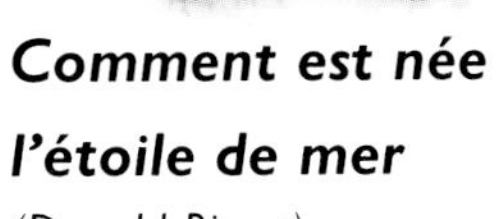

Comment est née l'étoile de mer

(Donald Bisset)

Par une belle nuit étoilée, sept éléphants décidèrent d'attraper une étoile. Ils montèrent au sommet d'une falaise et formèrent une pyramide en s'empilant les uns sur les autres. Au sommet, le bébé éléphant allongea la trompe pour attraper une étoile. Mais elle lui échappa et tomba dans la mer. C'est ainsi que naquit la première étoile de mer.

Questions

Où les nouveaux coraux se forment-ils ?

Que mange le coussin de belle-mère ?

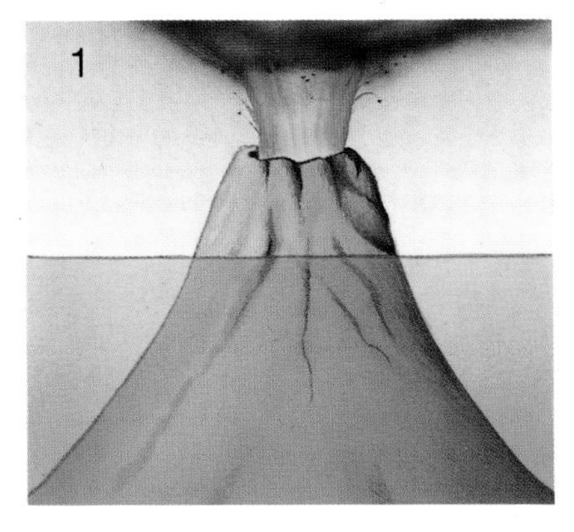

△ Un volcan sous-marin crée une nouvelle île dans une mer chaude.

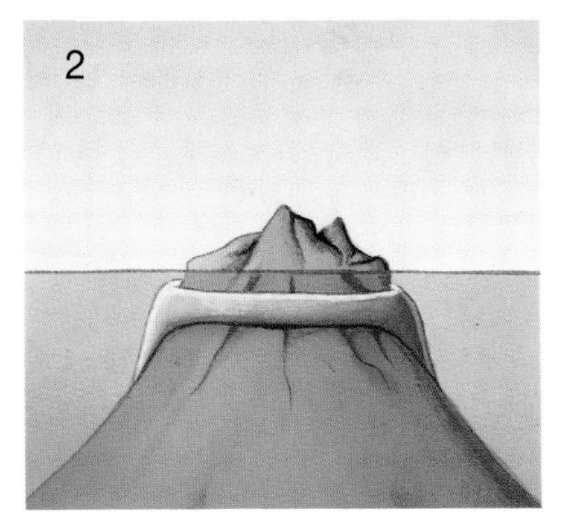

△ Les coraux s'accrochent à la nouvelle île. Lorsqu'ils meurent, d'autres coraux se forment sur leur squelette.

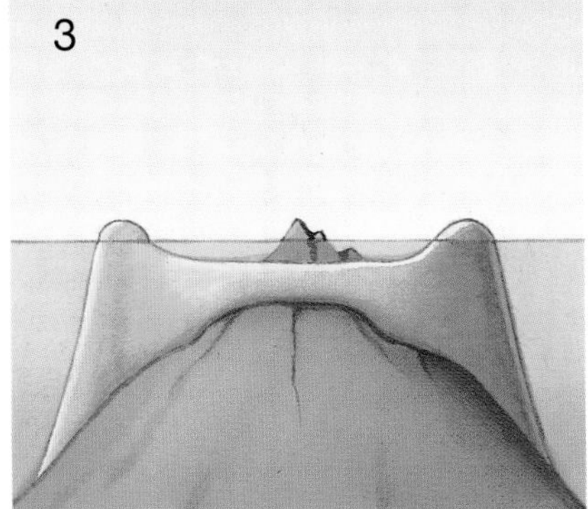

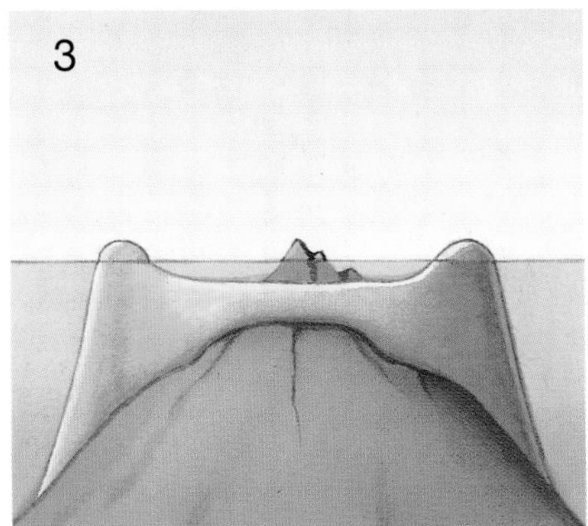

△ Le volcan s'affaisse tandis que le corail s'accumule, formant un anneau.

corail noir

La pêche

Chaque année, les pêcheurs attrapent de nombreux poissons de mer. Leurs bateaux sont équipés de sonars pour détecter les bancs de poissons. Ils utilisent des filets différents en fonction des régions. Une fois remplis, les filets sont hissés à bord et les poissons sont emballés dans de la glace pour les conserver au frais.

La pêche à la ligne
Découpe des poissons dans du carton. Scotche une agrafe derrière chacun d'entre eux. Fabrique une ligne en attachant un aimant au bout d'une ficelle nouée sur un bâton. Chaque joueur essayera à son tour d'attraper le maximum de poissons.

▷ Le sonar détecte les poissons en émettant des signaux dans la mer. Si les signaux rencontrent un banc de poissons, leur écho est réfléchi vers le bateau de pêche. Il apparaît sur un écran.

Vocabulaire
Le chalutier est un immense bateau de pêche.
Le sonar est un appareil qui permet de détecter les poissons, et les épaves. On l'utilise aussi pour explorer les fonds marins.

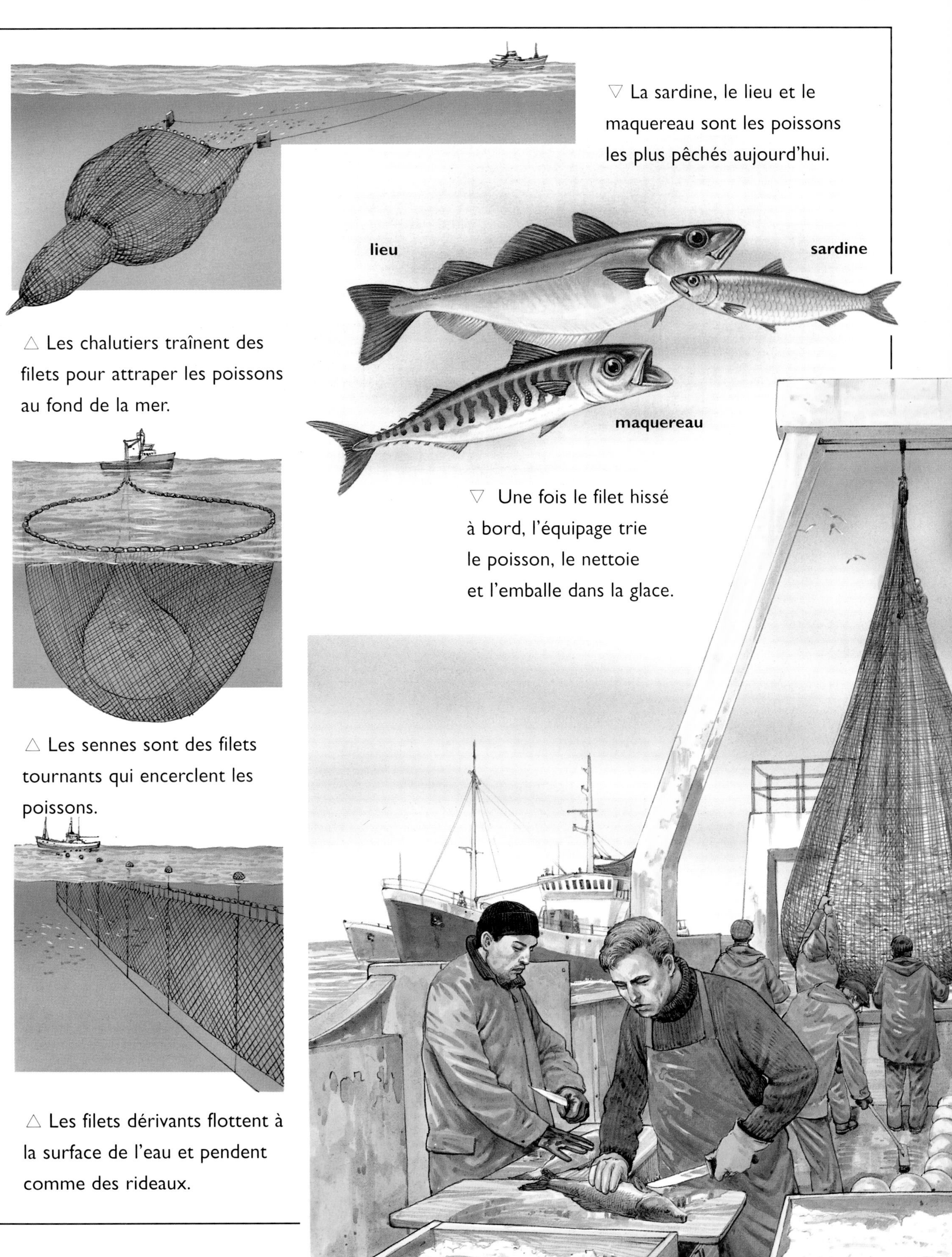

△ Les chalutiers traînent des filets pour attraper les poissons au fond de la mer.

▽ La sardine, le lieu et le maquereau sont les poissons les plus pêchés aujourd'hui.

△ Les sennes sont des filets tournants qui encerclent les poissons.

▽ Une fois le filet hissé à bord, l'équipage trie le poisson, le nettoie et l'emballe dans la glace.

△ Les filets dérivants flottent à la surface de l'eau et pendent comme des rideaux.

L'aquaculture

Dans de nombreuses régions du monde, on élève des poissons, des moules et des algues. La plupart des poissons sont vendus pour être mangés, mais certains sont rejetés à la mer pour pondre des œufs et produire d'autres poissons. On cultive certaines algues pour les manger, mais les algues géantes appelées varech servent de combustible.

△ Dans les centres d'élevage, les œufs de poisson éclosent dans des réservoirs. Lorsqu'ils sont adultes, certains sont rejetés à la mer pour pondre d'autres œufs.

▷ Les moules sont élevées sur de hauts piliers. On les ramasse à marée basse lorsqu'elles sont adultes.

△ Dans certaines régions, on cultive des algues alimentaires.

▷ Le varech pousse très vite. Il est ramassé par des plongeurs.

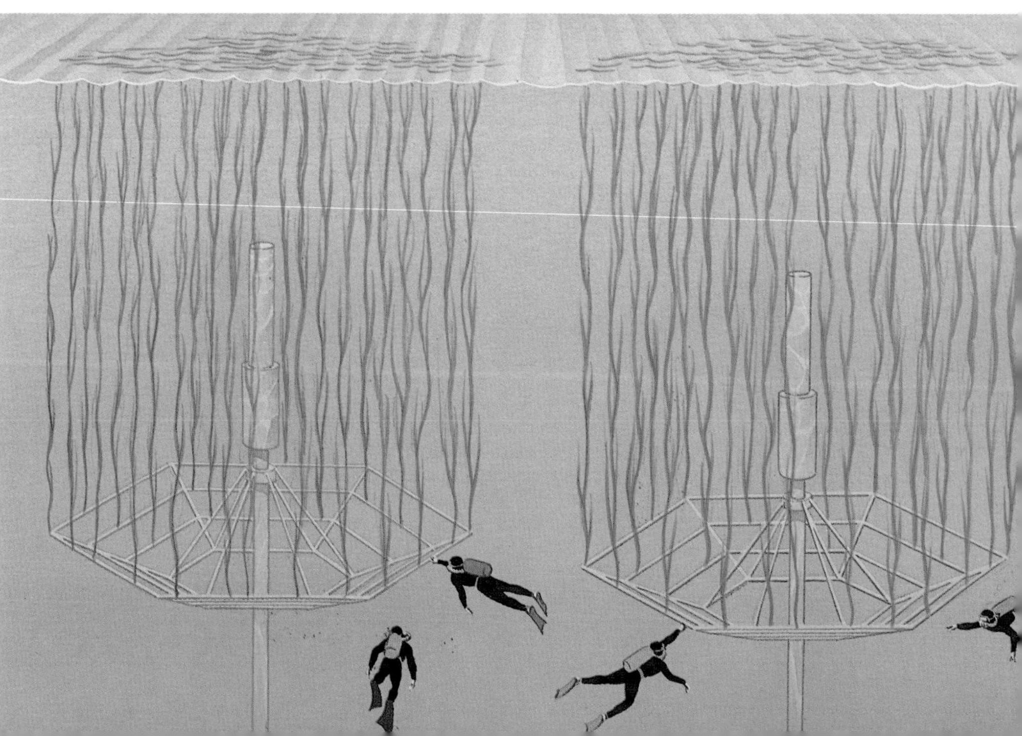

Les gisements marins

De la mer, on extrait du sel, du pétrole et du gaz. Le sel se trouve dans l'eau, le pétrole et le gaz sont enfouis dans le sol. On les pompe à la surface après avoir foré un trou. Ensuite, ils sont transportés vers les usines par des pétroliers et des canalisations.

△ Le pétrole et le gaz sont pompés au fond de la mer et transportés jusqu'au rivage.

△ Dans les régions chaudes et ensoleillées, on construit des bassins peu profonds pour récolter le sel. L'eau s'évapore avec la chaleur du soleil et le sel se dépose sur le sol.

Pourquoi la mer est salée

(Conte folklorique norvégien)

Un jour, un marin vola un moulin capable de moudre tout ce qu'on lui demandait. Il l'emmena en mer dans son bateau et lui demanda de moudre du sel. Mais lorsqu'il voulut l'arrêter, il s'aperçut qu'il ne connaissait pas la formule magique. Très vite, il y eut tant de sel que le bateau et le moulin sombrèrent au fond de la mer. Depuis, le moulin ne s'est jamais arrêté. C'est pour cela que la mer est salée.

L’énergie marine

La mer est très puissante. Depuis des siècles, on utilise le mouvement des marées pour faire tourner les roues des moulins à eau et moudre le grain en farine. Aujourd’hui, les marées permettent aussi de produire de l’électricité.

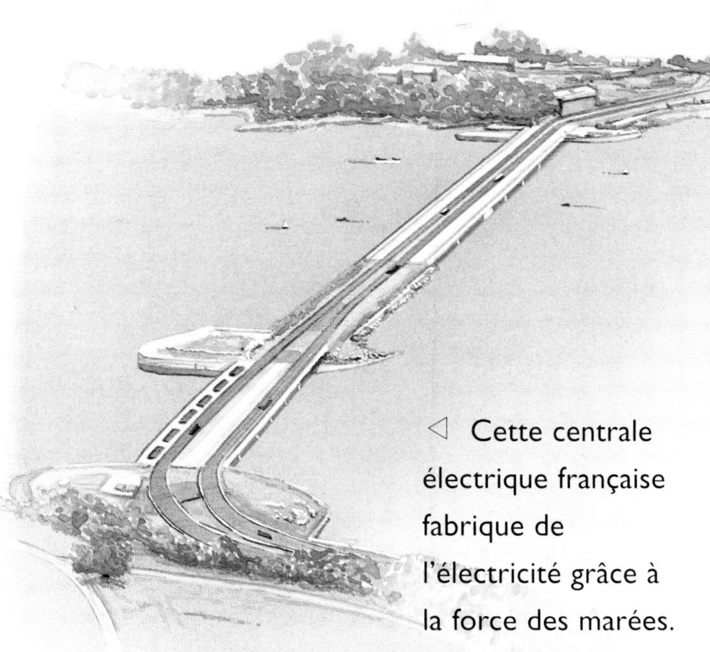

◁ Cette centrale électrique française fabrique de l’électricité grâce à la force des marées.

Fabrique une roue de moulin

Découpe quatre morceaux de carton épais en suivant le modèle. Plie-les en deux et colle-les sur une bobine de fil. Passe un crayon dans la bobine et tiens-la sous un robinet ouvert. La force de l’eau fera tourner la roue.

△ Lorsque la marée monte, l’eau de mer entraîne la roue du moulin dans un sens. Lorsqu’elle redescend, la roue tourne en sens inverse.

Les trésors de la mer

Au fond de la mer, on trouve des minéraux précieux, des perles et de magnifiques coquillages. Les plongeurs découvrent parfois les trésors d'anciens bateaux qui ont coulé il y a très longtemps.

Barbe-Noire
Autrefois, les pirates attaquaient et pillaient les galions. Barbe-Noire était l'un des plus connus et des plus redoutés.

▽ La mer rejette parfois de magnifiques coquillages sur les plages.

△ Des minéraux précieux gisent sur le sol au fond de la mer.

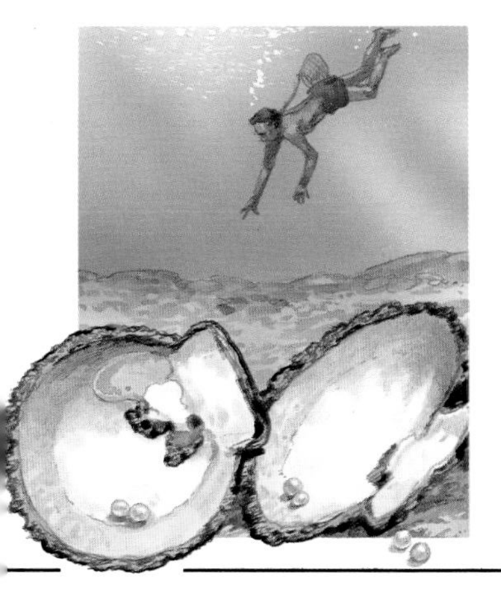

△ Les épaves permettent aux chercheurs de mieux connaître la vie des gens d'autrefois.

◁ Les perles sont fabriquées par les huîtres.

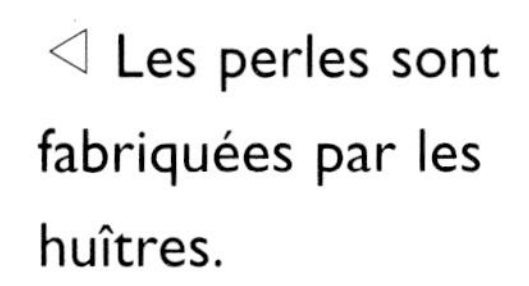

Questions

Que peut-on trouver au fond de la mer ?

Qui découvre parfois les trésors des épaves de bateaux ?

L'océanographie

Les chercheurs qui étudient la mer sont des océanographes. Ils utilisent parfois des sonars qui, grâce aux échos, mesurent la profondeur de la mer et détectent les objets sous l'eau. Les satellites permettent aussi de mesurer l'écho que renvoient les fonds marins.

Dans les eaux peu profondes, les plongeurs étudient la vie sous-marine. Ils réparent aussi les canalisations et les câbles sous-marins, ainsi que les plates-formes pétrolières.

△ Les photos de la Terre prises par les satellites informent les scientifiques sur la forme des fonds marins et la température de l'eau.

▷ Les satellites mesurent aussi la quantité de lumière réfléchie par la mer. La couleur bleue-verte qui apparaît à l'écran indique la présence de plancton. Cela permet de détecter les poissons car ils mangent le plancton.

Vocabulaire

L'océanographie est l'étude de la mer.

L'équipement de plongée permet de respirer sous l'eau.

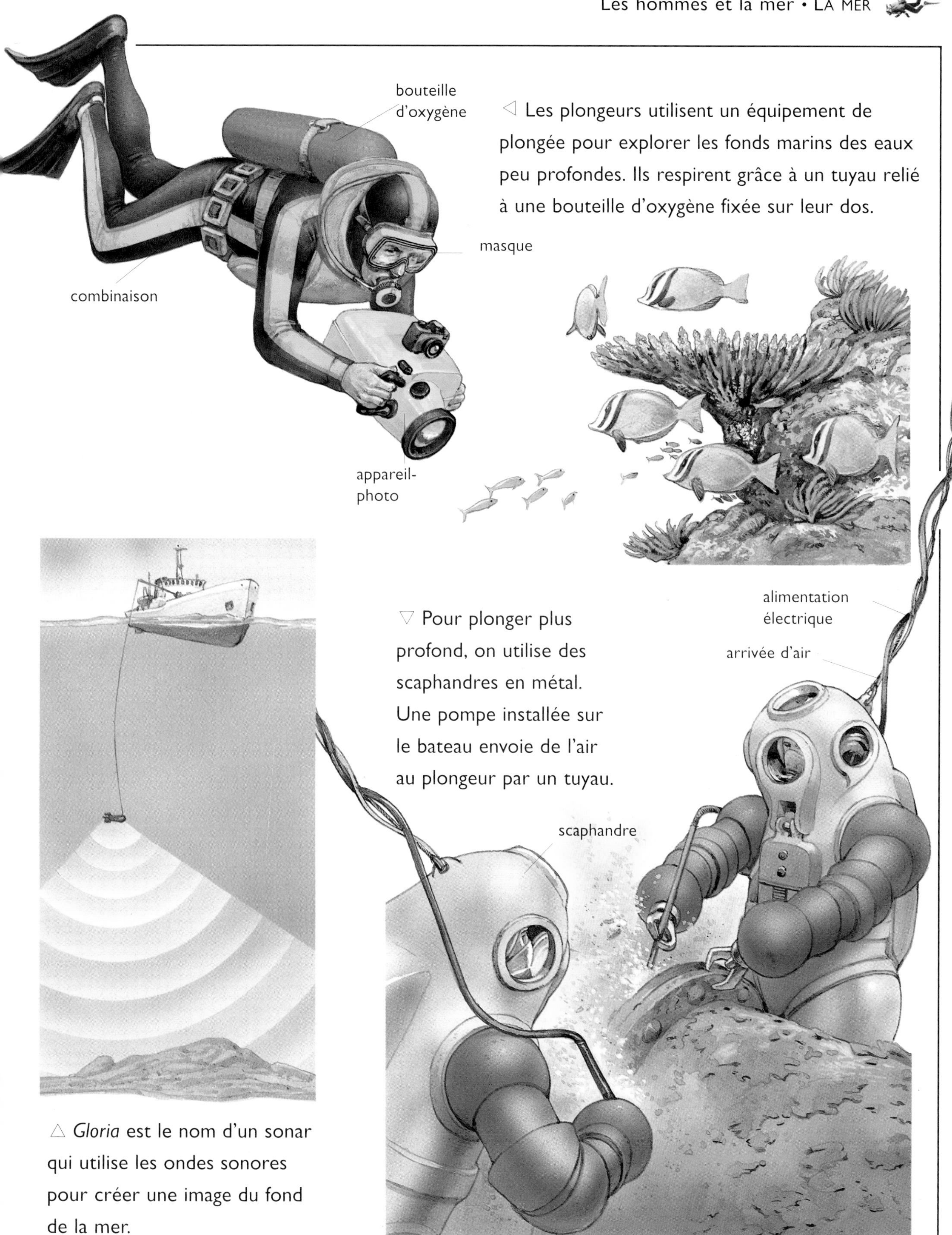

◁ Les plongeurs utilisent un équipement de plongée pour explorer les fonds marins des eaux peu profondes. Ils respirent grâce à un tuyau relié à une bouteille d'oxygène fixée sur leur dos.

▽ Pour plonger plus profond, on utilise des scaphandres en métal. Une pompe installée sur le bateau envoie de l'air au plongeur par un tuyau.

△ *Gloria* est le nom d'un sonar qui utilise les ondes sonores pour créer une image du fond de la mer.

Les sous-marins et les bateaux

Les sous-marins permettent de naviguer dans les régions les plus profondes de la mer. Dans les zones dangereuses, on utilise des véhicules sans pilote, qui sont télécommandés depuis un bateau. De nombreux bateaux sillonnent les mers. Pour éviter les accidents, ils doivent emprunter des voies de navigation semblables à des autoroutes.

ferry

▽ Pendant sa mission, l'équipage du sous-marin de poche est relié au bateau par téléphone.

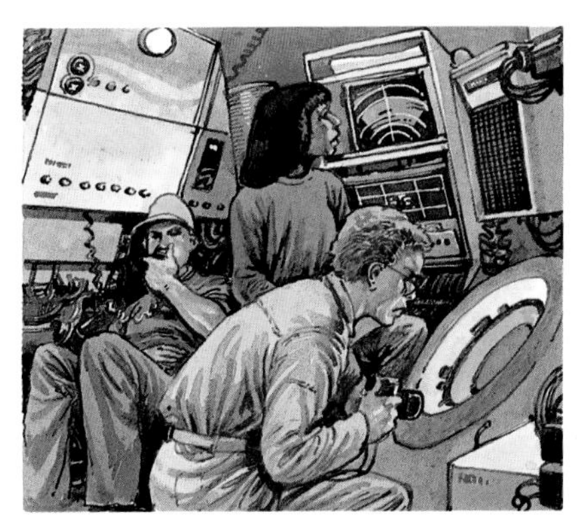

△ L'équipage d'un sous-marin peut travailler sous l'eau pendant huit heures avant de remonter à la surface.

Fabrique un sous-marin
Perce un trou au fond d'une bouteille vide de produit de vaisselle. Fixe un tube en plastique sur le bouchon. Fais couler la bouteille

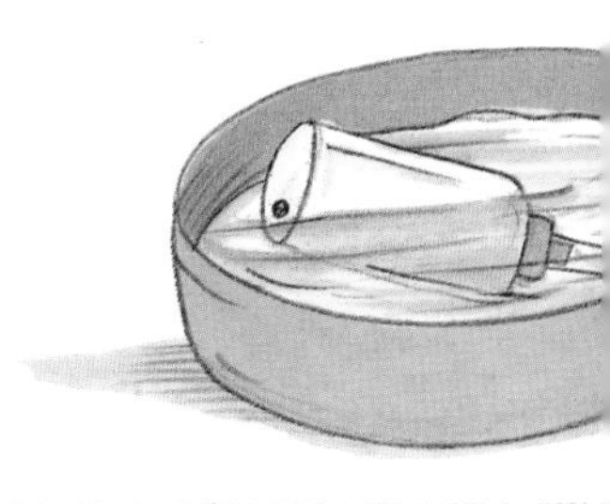

△ Les énormes pétroliers transportent du pétrole. Les transporteurs en vrac acheminent des céréales et des produits secs. Certaines marchandises sont placées dans des conteneurs. Les ferry-boats transportent des passagers, des voitures et des camions.

▽ Certains véhicules télécommandés sont équipés de bras pour tenir des outils et effectuer des réparations. Celui-ci nettoie les piliers d'une plate-forme pétrolière.

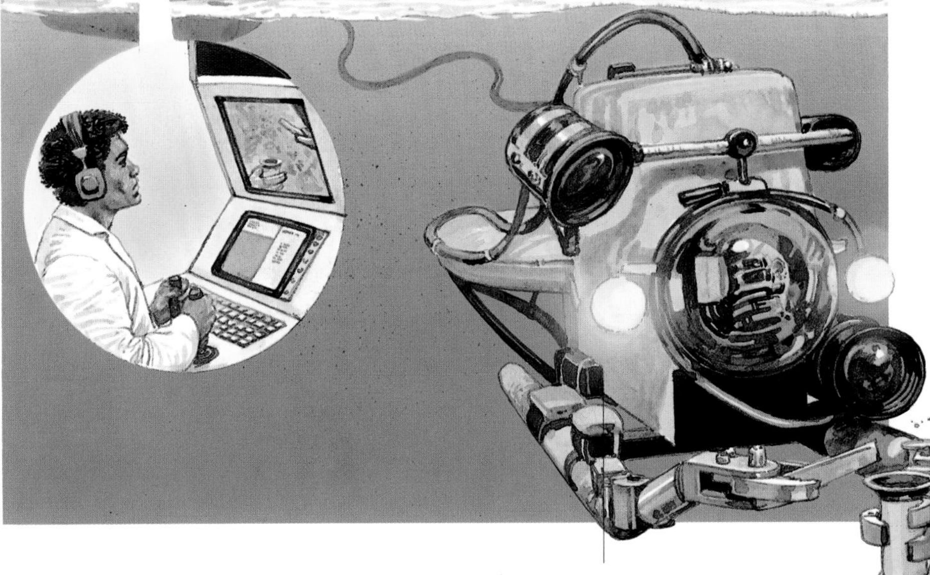

au fond de l'eau. Souffle fort dans le tuyau en plastique. En pénétrant dans la bouteille, l'air fait sortir une partie de l'eau et la bouteille remonte.

La pollution de la mer

Les gens qui jettent leurs ordures dans la mer polluent, ou salissent l'eau. Cette pollution détruit les plantes et les animaux marins. Parfois, la mer sert de décharge. Lorsque les pétroliers répandent du pétrole dans la mer, la marée noire recouvre les côtes. Le nettoyage du littoral est un travail difficile.

▽ La plupart des déchets des villes sont déversés dans la mer par des pipelines.

▽ Certaines usines rejettent des produits toxiques dans les fleuves et dans la mer.

△ Les fertilisants utilisés par les cultivateurs vont aussi dans la mer et détruisent la vie sous-marine.

La marée noire

Lorsqu'un pétrolier répand du pétrole sur les côtes, il faut rapidement nettoyer les animaux, comme les phoques et les oiseaux, sinon ils peuvent mourir. Les produits provenant d'eaux polluées peuvent aussi nous rendre malades.

▽ La marée noire peut tuer des milliers d'animaux de mer et d'oiseaux. Elle abîme aussi nos plages.

△ Pour déverser les ordures dans la mer, on utilise d'énormes péniches.

Préserver la mer

La mer est belle et très importante. Tout le monde devrait faire son possible pour la protéger. Beaucoup de gens commencent à comprendre son importance et essaient d'empêcher sa destruction, mais il reste beaucoup à faire. Comment peux-tu agir ?

▷ Avec tes amis, tu peux commencer par ramasser tes détritus avant de quitter la plage.

△ Si tu regardes un globe, tu verras que notre planète est couverte par les océans. Sais-tu quel est le plus grand ?

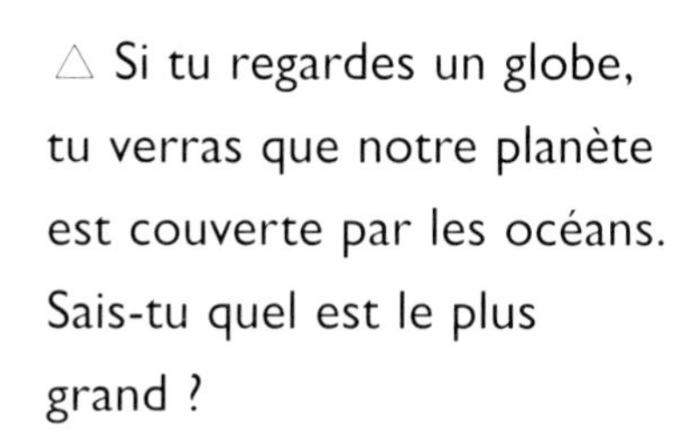

▽ La mer est un endroit agréable pour s'amuser, à condition que les plages soient propres.

△ Si tu apprends à connaître la mer, tu sauras mieux la protéger.

Index

R

S

T

UV